いつ、どこで生まれた「独立自尊」

福澤諭吉父子の
明治維新での連携

Nobuyuki Yasui
安井 信之

桜山社
SAKURAYAMA SHA

福沢諭吉の独立自尊の碑（大分県中津市）1950（昭和 25）年２月　　共同通信提供

福沢諭吉の生家（大分県中津市）1948（昭和 23）年６月　　共同通信提供

いつ、どこで生まれた「独立自尊」

福澤諭吉父子の明治維新での連携

安井　信之

目次

第三章　四字熟語「独立自尊」誕生の原点……83

序章

人々が右往左往した明治の激動期があった。この時、福澤諭吉が「学問のすゝめ」で新時代の方向を示したことを知らない日本人はいない。

わが国にはなかった西洋文明の概念を「自由」や「独立」などの日本語に翻訳したのもこの人である。

福澤諭吉が創設した慶應義塾に学んだ一人として、私はここから言葉を改めて福澤諭吉先生と呼ぶことにするが、先生が発明したかずかずの熟語の中で、自身、最も重んじられた言葉は「独立自尊」だった。しかし、「自由」や「独立」が若い時の訳語であることはよく知られているが、「独立自尊」は先生晩年の造語であり、それがなぜ、どのようにして造られたかについてはあまり知られていない。この言葉は、なぜそれほど遅く登場したのか、どのような紆余曲折を経て登場したのか？

慶應義塾には「慶應義塾豆百科」という小辞典がある。それを見れば慶應義塾関連の歴史など、大方のことが分かるように解説されている。まずはその小辞典で「独立自尊」の項を見ることから始めよう。

「「独立自尊」は慶應義塾の教育の基本である。義塾の創立者である福澤先生は、生涯を通じて終始、一身の独立を論じ、一国の独立を念じ、志操はあくまでもこれを高く堅持し、いやしくも卑屈賎劣なことは寸毫といえども仮借しないところがあった。しかも、ただ口

福澤遺墨コレクション「独立自尊」（慶應義塾図書館所蔵）

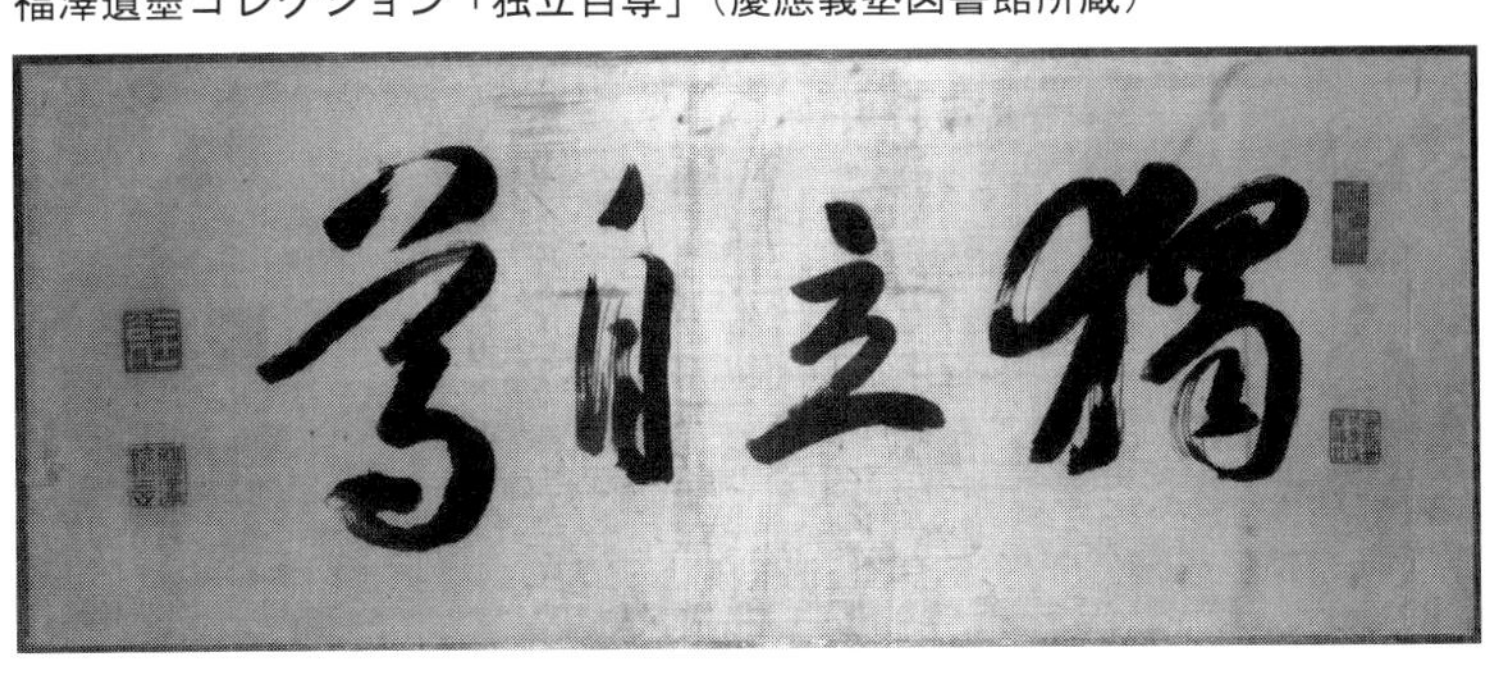

でいうだけでなく、常に身をもってそれを示された。
その福澤先生が、晩年に、小幡篤次郎以下数名の高弟たちに長子一太郎を加えて、義塾の主唱する道徳綱領の編纂（へんさん）を命じられた。明治三十三年（一九〇〇年）二月十一日に脱稿して、同月二十四日、第四〇四回三田演説会で発表された二十九か条の「修身要領」がそれで、これこそは先生の右のような平素の主義主張を簡潔明瞭に集約したものなのであった。つまり、独立自尊の人たるべき真の在り方を最も端的に説いたものといってよく、たとえば「心身の独立を全うし自らその身を尊重して人たるの品位を辱（はずかし）めざるもの、之を独立自尊の人と云う」（第二条）といったぐあいに、それが条を追ってしるされているのである。

それに、そもそも「独立自尊」なる成語もまた実は、この「修身要領」が発表されてのちに多く口にされるようになったのである。現に先生自身のそれまでに書かれたものには特にこの四字を成語として使っている例は案外に少なく、明治二十三年（一八九〇年）八月二十九日付の『時事新報』の社説「尚商立国論」中に一度見られるほかは、（一八九七年）明治三十年六月十九日の第三六八回三田演説会で「人の独立自尊」と題して演説されたことがあり、あるいは同年十月二十四日付の『時事新報』に掲載された『福翁百余話』(八)「知徳の独立」のなかに「独立自尊の本心は百行の源泉にして、源泉滾々到らざる所なし」とある例が存するくらいにすぎない。

それはそれとして、もし先生の教えの根本を一言で言いあらわそうとすれば、この「独立自尊」の四字にまさることばはおそらく他には見あたるまい。先生の法名「大観院独立自尊居士」というのは前記の小幡の撰になるといわれるが、先生の人となりをまことに適切にいいあてたものといえよう。」

豆百科には、このように四字熟語「独立自尊」が登場した経緯が述べられ、この言葉が先生の教育の基本であることが示されている。しかしこの説明でも、なぜ先生がこの言葉を思いついたかといった発見の動機には触れていない。

長い年月が経った現在、「独立自尊」は福澤諭吉先生の信念の言葉として完全に定着している。したがって今更その言葉の誕生の経緯を詮索する人もいないのだろうと思う。ただ、私は少し違う。

「「独立自尊」には表立って世間に知られていない秘話がある――」。こう聞いて耳をそばだてた記憶がある。どういうことか。秘話とは何だろう。真相をさぐりたいと思いつつも、確かめることなく今日に至ったという事情があるからだ。

――昭和三十三年(一九五八年)。私は内山正熊教授のゼミナールの学生だった。この問題にかかわる話が教授の口から発せられたのはその授業中だった。

「「独立自尊」という言葉の誕生には、福澤先生のご子息の三八さんがからんでいるんだよ。独立自尊という言葉はおそらく不朽不滅だろう。福澤先生が太陽であるならば、三八先生は月のような存在だ。しかしそれにしても、あまりにも三八先生は無名すぎる」と。

内山教授の話はこのようなものだったが、私には、福澤先生のご子息の三八さんが「独立自尊」という言葉にどうかかわっているのか、まるで見当がつかなかった。

次にこの問題と出合ったのは、その三年後の夏、私がロンドン大学LSEに留学していた時であった。内山正熊教授から連絡があり、「もうじき清岡暎一教授がイギリスへ行かれるから、君がロンドンでご案内役をしてくれないか」との手紙を受け取った。

清岡暎一教授は福澤先生の三女「俊」さんを母に持つ先生のお孫さんであり、したがって三八さんは叔父にあたる福澤家の一人である。清岡教授にお会いできるのなら、慶應義塾のこと、とくに福澤諭吉先生のことを何でもお尋ねできる絶好の機会だと思った私は喜んで当日、ホテルにお迎えに行った。

ロンドン市内観光、その後郊外のウインザー城、オックスフォード大学などへのドライブを計画していた私に、教授はいきなり、「市内の夏目漱石が住んでいた家を訪問したい。漱石の小説「坊ちゃん」のモデルが三八先生と聞いているから」とおっしゃった。意外な話だが、このことは第三章で触れることにする。

その後の観光ドライブの道々、私の質問は当然のように福澤諭吉先生と福沢家一族のことに集中した。福澤家の多くの人々は若いうちに欧米へ行き、世界の動きを学び、和魂洋才の精神に則って日本に適した西洋文明を我が国に採り入れてきた。教授のお話を聞きながら、その行動力が抜群であること、近代日本の発展に大きく貢献されたことなどがよく理解できた。教授との会話は生涯忘れることのできない貴重な時間であった。

そんな時、教授からびっくり発言が飛び出した。

「君、「独立自尊」の秘話を聞いたことがあるか」

私は驚きながら、「はい、内山教授からゼミの時間に承ったことがあります」と答えた。

「そうか。三八さんは兄弟姉妹の中でもとても面白い人間でしたよ。独立自尊の秘話は塾の中では大きく報道されていないが、ことのほか諭吉先生は息子の三八さんに感謝しておられると思いますよ」

ここで再度、「独立自尊」と三八さんの関わりが出てきたのである。

清岡教授はつづけて「秘話」のいきさつや周辺の話をしてくださった。さらに三八さんの幼稚舎時代のやんちゃ話にも花が咲いた。


少し整理しておく。

福澤先生のもっとも有名な著作「学問のすゝめ」。その文中には新時代を開いた言葉が百五十か所にわたって出てくる。自由、独立、平等、自主などの二文字と、自主独立、自由独立、一身独立、人民独立、一家独立、一国独立、有形独立、不羈（ふき）独立、人民同権、同位同等、人間同等などの四文字。しかしこれらの中に「独立自尊」はない。

先生はさまざまな啓蒙の文章を書く中で、自分の主義主張をひと言で表現できる四字熟語をたえず模索しておられた。晩年に至るまでこれとうなずける名案が出なかったのに、ご自身の八人目の三男「三八さん」当時満九歳が、この決定的な言葉の誕生に一役買ったというのだ。しかしまだ幼い少年が「自尊」などという高邁（こうまい）な精神に関わる言葉に関与する能力を持っているものだろうか。言い換えれば、「独立自尊」の四字熟語には三八少年がからんでいると指摘する内山教授や清岡教授のお話は、現実か幻かということである。

このことを初めて聞いた一九五八年から今日まではすでに六十年以上経ってしまったけれども、私はその「秘話」の信憑性を自分の目で確認してみたいと思い立った。是（これ）、今回の執筆の動機なり。

第一章　四字熟語「独立自尊」の基盤は「学問のすゝめ」と「福翁自伝」

その一　「慶應義塾豆百科」小辞典

序章で引用した「慶應義塾豆百科」は、昭和三十八年（一九六三年）から学内広報誌「塾」に塾関連の豆知識的な文章として連載が始まった。つづいて小冊子になり、さらに連載された項目を加えて平成八年（一九九六年）、小辞典となったものである。小型ではあるが慶應義塾に関する資料が集約されていて、利用するのに便利である。説明は広く次の百項目にわたっている。

慶應義塾豆百科（慶應義塾編）

目次100項目一覧表（年代順）			
No.	タイトル	No.	タイトル
1	福澤先生誕生地記念碑	26	福澤諭吉終焉之地記念碑
2	旧居と宅跡	27	大阪慶應義塾
3	修復なった適塾	28	幼稚舎の創始
4	慶應義塾の起源	29	京都慶應義塾
5	咸臨丸	30	演説の創始
6	『慶應義塾入社帳』の刊行	31	三田演説館
7	塾名の由来	32	稲荷山
8	「義塾」という名のおこり	33	徳島慶應義塾
9	自我作古	34	慶應義塾教育の本旨
10	ウェーランド経済書講述記念日	35	万来舎
11	塾長	36	社中の協力
12	授業料	37	「道聴途説」
13	三田移転	38	交詢社
14	塾	39	慶應義塾維持法案
15	塾監局	40	社頭
16	半学半教	41	留学生受け入れのはじめ
17	義塾社中	42	『時事新報』の創刊
18	君（くん）	43	ペンの記章
19	「入塾ノ人ニ告文」	44	塾員
20	学業勤惰表	45	「塾員」の認定
21	慶應義塾出版局	46	評議員の改選
22	考証・天は人の上に人を造らず…	47	大学部の発足
23	慶應義塾医学所	48	大学部の始業式
24	慶應義塾と歯科医学	49	体育会の創設
25	福澤記念園	50	福澤先生と北里柴三郎

目次100項目一覧表（年代順）			
No.	タイトル	No.	タイトル
51	三色旗	76	塾債
52	カンテラ行列	77	「若き血」と「丘の上」
53	「慶應義塾の目的」	78	山中山荘の再建
54	『三田評論』	79	福澤諭吉展
55	『福澤諭吉全集』	80	『福澤諭吉傳』の復刊
56	一貫教育	81	幻の門
57	普通部	82	日吉開設五十年
58	海外派遣留学生	83	環境保全のさきがけ
59	修身要領	84	国宝・秋草文壺
60	独立自尊	85	藤原工業大学の設立
61	「独立自尊迎新世紀」	86	塾長訓示
62	塾葬	87	給与特選生制度
63	福澤先生墓所	88	語学研究所の開設
64	維持会の役割	89	日吉台の地下壕
65	消費組合	90	獣医畜産専門学校
66	塾歌制定の経緯	91	公孫樹
67	新年名刺交換会	92	学生ホール
68	開校記念日	93	名誉博士
69	『三田文学』	94	商学部の開設
70	福澤先生誕生記念会	95	小山内薫の胸像
71	慶應義塾図書館	96	三つの文学碑
72	図書館のスティンドグラス	97	浜木綿
73	三田の大講堂	98	福澤心訓
74	ユニコン	99	『福澤関係文書』の刊行
75	厚生女子学院	100	造化と境を争う

コーヒーブレイク●君、先生の名称について

慶應義塾では先生というのは創立者たる福沢諭吉先生一人に限り、他の教職員はすべて「君（くん）」付けで呼ぶ習わしがある。

たとえば、大学の掲示板にも「○○君、休講」とあり、「先生」とは書いてありません。従ってこの本でも、一般的には「先生」と呼ぶべき方々であっても、職名の「教授」とか「さん」呼びにしてあります。ただし文章の引用である場合には原文通りに記してあります。

その二　「学問のすゝめ」と四字熟語「独立自尊」

「学問のすゝめ」の項目と登場する熟語

明治維新によって日本は脱亜入欧の新時代に突入した。しかし、長きにわたって封建文配下にあった民衆の意識は旧態依然たることをまぬかれなかった。このことを憂えた福沢諭吉先生は、民衆に新時代がいかにこれまでの世と異なるものかを知らせ、民主主義国家の自覚ある市民への意識改革をうながすために「学問のすゝめ」を執筆した。明治五年

（一八七二年）に初編を出版。以後数年をかけて続編を出し、明治九年（一八七六年）に現在の形の十七編が完成した。その初編から十七編までは百九十四余ページ、十二万文字に及ぶ。

先生が自分の考えを表す適切な表現、適切な四文字をたえず模索しつつ書かれたであろうことは文中に窺うことができる。しかし、決め言葉ともいうべき「独立自尊」の文字はまだそこに登場するに至っていない。

先生が「慶應義塾の目的」について述べておられる一文がある。

「慶應義塾は単に一所の学塾として自ら甘んずるを得ず。其目的は我日本国中における気品の源泉、知徳の模範たらんことを期し、之を実際にしては居家、処世、立国の本旨を明にして、之を口に云うのみにあらず、躬行実践、もって全社会の先駆者たらんことを欲するものなり」と。

当然ながら、先生の頭の中には常に「慶應義塾の目的」が入っている。その状態で書かれ、刊行された「学問のすゝめ」には、先生の考えに沿った多くの象徴的熟語が繰り返し使われている。

ここで「学問のすゝめ」各編の表題と、各編文中にある象徴的熟語・及びその使用頻度を確かめておこう。まずは表題である。

初編　端書（天は人の上に人を造らず人の下に人を造らず、と云へり）
二編　人は同等なること
三編　国は同等なること　国の独立と人民の独立
四編　学者の職分を論ず
五編　明治七年一月一日の詞
六編　国法の貴きを論ず
七編　国民の職分を論ず
八編　我身をもって他人の身を制すべからず
九編　学問の旨を二様に記して中津の旧友に贈る文（前編）
十編　学問の旨を二様に記して中津の旧友に贈る文（後編）
十一編　名分をもって偽君子を生ずるの論
十二編　演説の法を勧めるの説　人の品行は高尚ならざるべからず
十三編　怨望の人間に害あるを論ず
十四編　心事の棚卸し　「世話」の字の義
十五編　事物を疑って取捨を断ずること

十六編　手近く独立を守ること　心事と働きと相当すべきの論
十七編　人望論

続いて、「学問のすゝめ」は、文中にどのような象徴的熟語が使われ、どれほどの頻度で出ているかを見ておく。

左の表で、「学問のすゝめ」には先生が実現を目指した多くの象徴的字熟語が合計百五十回も使用されていることが分かった。圧倒的に多いのは「自由」、「独立」であり、その言葉が入った四字熟語を含めると、それだけで実に全体の八割を占めていることが分かる。

正確を期すため、これらの熟語の意味を辞書（『広辞林』）で確かめておくことにする。

自由とは？　他から拘束・共生・支配を受けないこと。思いのまま。心のまま。
独立とは？　他に屈服或いは依存しない、他から束縛或いは支配されないこと。独り立ち。
自立とは？　他に制約されず、自分で自分の行為を制御すること。
不羈とは？　束縛を受けないこと。

	「学問のすゝめ」文中の象徴的文字						
	独立に関わる		自由に関わる		同等に関わる		その他
	独立 我独立	人民独立一身独立 一家独立 一国独立 有形独立 不羈独立	自由 自由法 不自由 自由正直 出版自由 自由貿易	自由独立 一身自由 一家自由 自由自在 不羈自由 自由我慢	同等	人間同等 同位同等 彼我同等	人民同権 一身一家 一身私徳 一個私立 人民一個 独歩孤立
初編	3	3		8			1
二編				1	3	3	2
三編	22	5		3	2		
四編	11				1		
五編	18	1					
六編							
七編						2	
八編	2		1	3			
九編	2	1	1				2
十編	1	4					2
十一編		1	1				1
十二編	1		1				
十三編			5				
十四編							3
十五編	1		2				
十六編	11	4	3				3
十七編			5				
(小計)	(72)	(19)	(19)	(15)	(6)	(5)	(14)
合計 使用回数							150

自在とは？　束縛や障害のないこと。思いのままなこと。
独歩とは？　一人で歩くこと。独立して事を行なうこと。
人民とは？　社会を構成する人。国家における被統治者。国民。

「学問のすゝめ」は、一口で言うなら、〝他人に頼らず自分の考えで大いに勉強し、立派な人間になろう。そして我が日本の近代化に貢献しよう！〟という教本である。
「勉強に励み物事を極めれば立派な人間になれる。さもなくば、身も心もわびしい人間になってしまう」と諭(さと)している。さらに、学問には天文、地理、窮理、化学のような有形なものと、心学、神学、理学などの無形なものがあって範囲が広い。しかし徒(いたずら)に難しいことを勉強しても役に立たねばまったく意味がない。「学ぶ」内容は、政治、商業、工業、農業、医業の何であれ、要は自分のため、人のため、社会のために役立つかどうかである、といっている。

「学問のすゝめ」刊行当時の日本

「学問のすゝめ」全編が出版された明治九年は、明治政府が廃刀令を出して、侍(さむらい)の魂ともいうべき刀を取り上げ、同時に旧武士階級の特権意識そのものを剝奪(はくだつ)した年でもあった。

身分制度が芯まで沁みついていた当時の日本には、当然ながら自由、平等といった近代的意識がなかったため、不満を募らせた旧武士団の反乱が相次いで起こっている。

そのような時期に、「学問のすゝめ」は冒頭で「天は人の上に人を造らず」と高らかに宣言したのである。士農工商の身分差を当然のことと考えていた日本人の度肝を抜く言葉であった。

欧米から大きく遅れをとった日本は、国家近代化への出発点に立ったばかりであった。福澤諭吉先生は咸臨丸で渡米し先進国の文化を大きく吸収したが、先生と同様にこの時期、日本の現状に危機感を抱いて海外に渡った人はほかにも大勢いた。「幕末明治海外渡航者総覧」という記録を見ると、幕末から「学問のすゝめ」完成の明治九年までに西欧諸国に渡った日本人の数はすでに二千人を超えている。それは幕末の脱藩武士や藩の留学生、欧米使節団、また維新後は新政府の岩倉使節団や個々の政治家、役人、国費留学生たちで、彼らは欧米各国の仕組みや文化を学び、それを日本に伝える使命を帯びて懸命に努力したのである。

本物の欧米を自分の目で見た人と封建社会の日本しか知らない人のあいだには、意見が通じ合わない格差があったことだろう。「百聞は一見に如かず」である。先生の先進的な著作も最初は反対派の非難攻撃にさらされた。しかし、大半の国民は先を争ってこの本を買い求め、むさぼるように読みふけったのだった。題は「学問のすゝめ」であるが、内容はむしろ、「自分自身を磨くための努力のすすめ」であった。分かりやすい言葉で西洋の近代思想を説いたこの本は四百万部を売り上げ、近代日本初のベストセラーになった。

「学問のすゝめ」名言十選

先見の明をもって時代をリードした「学問のすゝめ」を読むと、どのページからも福澤先生の気迫に満ちた信念の言葉が響いてくる。いずれも傾聴すべき言葉であり優劣をつけることはできないが、ここでは特に私が深く影響を受けた名言十選を取り上げてみたい。

一、天は人の上に人を造らず、人の下に人を造らず

「学問のすゝめ」冒頭にある言葉。その意味を先生曰(いわ)く。「されば天より人を生ずるには、万人は万人みな同じ位(くらい)にして、生まれながらに貴賤(きせん)上下の差別なく、万物の霊たる身と心との働きをもって天地の間にあるよろずのものを資とし、もって衣食住の用を達し、自由自在、互いに人の妨げをなさずしておのおの安楽にこの世を渡らしめ給うの趣意なり」と。

この自由・平等・民主的思想の名言は、文言からして、その百年前に発せられたアメリカの独立宣言(一七七六年)が念頭にあったに違いない。その独立宣言の原文は、「われ

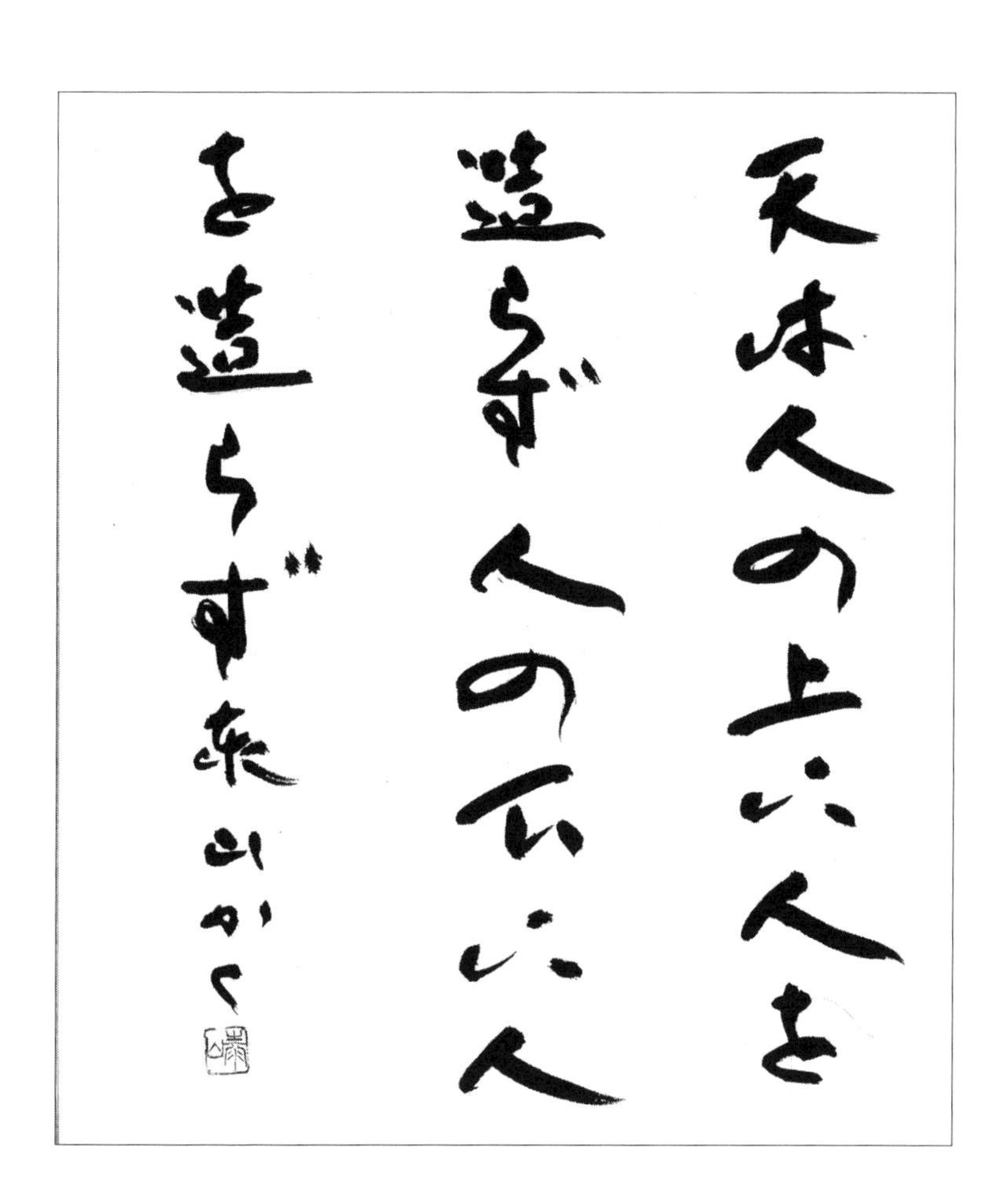
天は人の上に人を
造らず人の下に人
を造らず

われは自明の真理として、すべての人は平等に造られ、創造主によって一定の奪いがたい天賦の権利を付与され、その中に生命・自由、および幸福の追求が含まれることを信ずる」である。

二、政府は国民の名代にて、国民の思ふところに従ひ事をなすものなり

政府の職分は罪あるものを取り押さえ、罪なき者を保護するが役目なり。その国民の総代として政府を立て、政府国民双方が約束事を遵守する基礎をつくる。即ち、国家による法律と国民がそれを遵守の貴きを説いている。これでなければ法治国家は生まれない、の意。

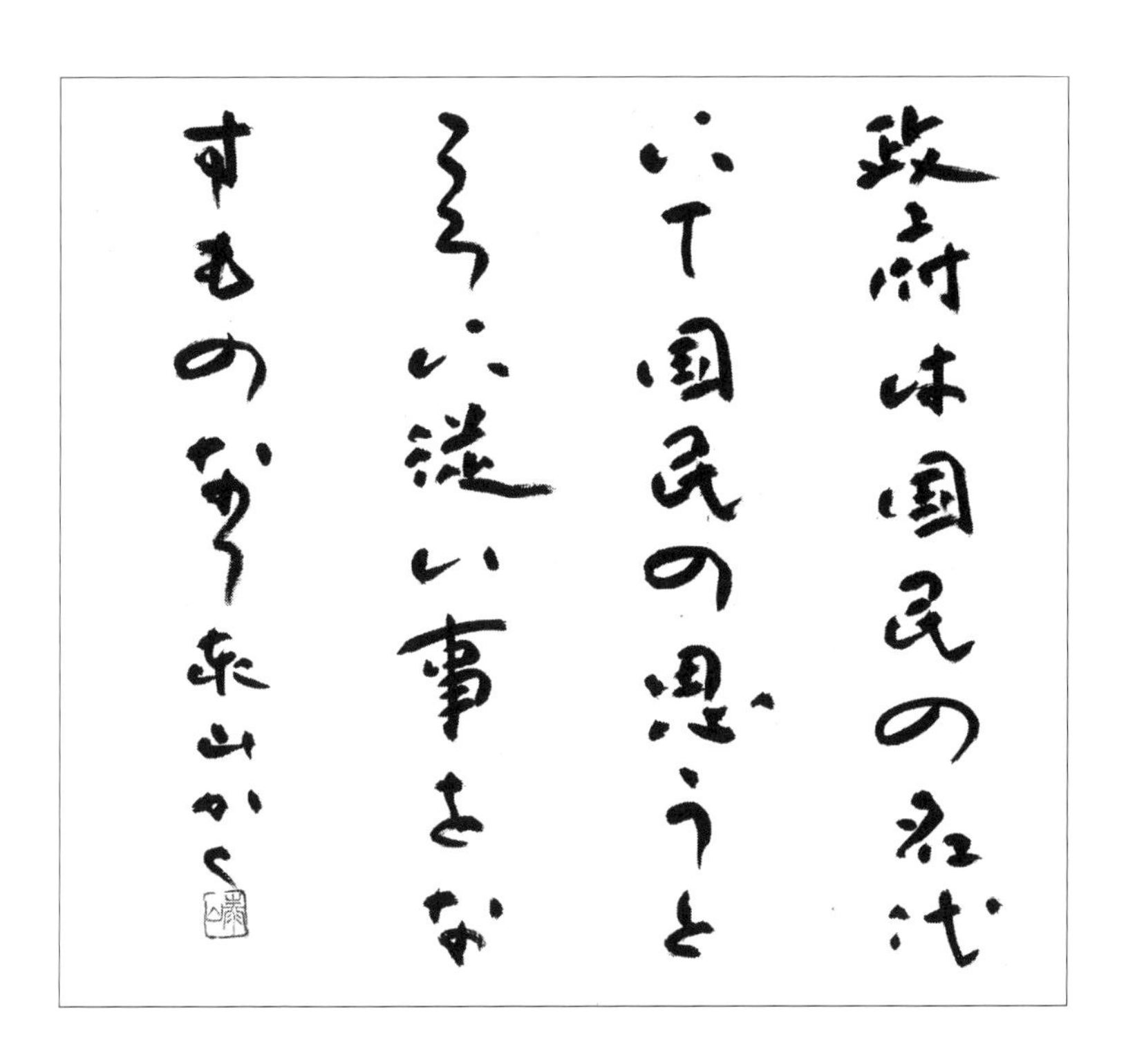
政府は国民の名代
にて国民の思うと
ころに従い事をな
すものなり
泰山かく

三、一国の人民は国法を重んじ、人間同等の趣意を忘るべからず

国民たるものは一人の身にて二人前の役目を勤めなければならない。その一つは政府の下に立つ一人の民である自覚、もう一つは、国中の民が力を合わせ、国がつくる法律を遵守すること。そして、他人の権義を重んじながら国民が協力しなければならない。いわゆる国民の職分を論ず、の意。

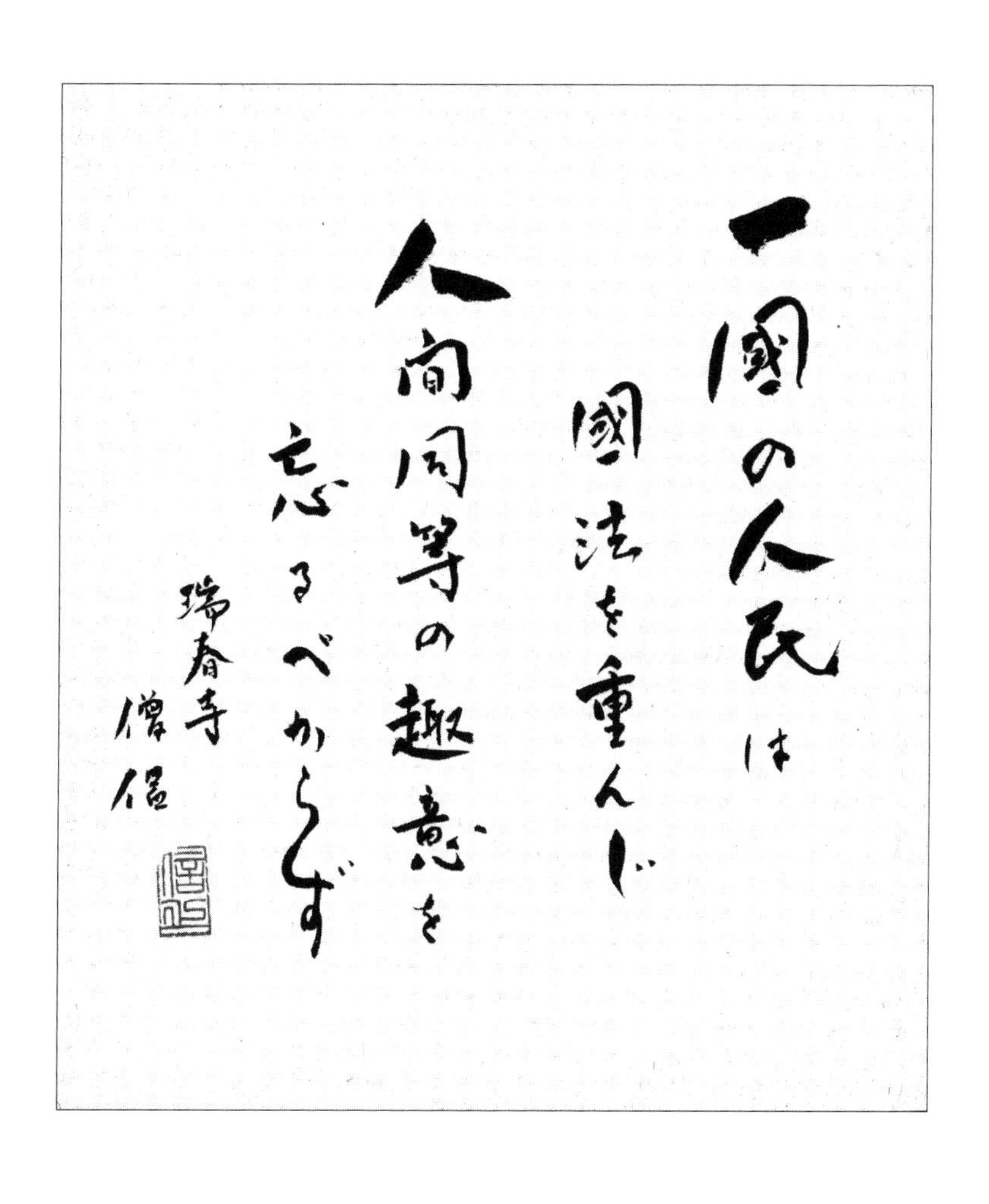
一國の人民は
國法を重んじ
人間同等の趣意を
忘るべからず
瑞春寺
僧信

四、人は生まれながらにして貴賤・貧富の差なし。ただ学問を勤めて物事をよく知る者は貴人となり富人となり、無学なる者は貧人となり下人となるなり

「天は人の上に人を造らず人の下に人を造らず」の意味を具体的に述べると同時に、「学問のすゝめ」を推奨している。すなわち、「大いに勉強し、立派な人間になろう」の意。

人は生まれながらにして貴賤貧富
の別なし　たゞ学問を勤めて物
事をよく知る者は貴人となり
富人となり　無学なる者は貧人
となり下人となるなり　泉山かく

五、我心をもって他人の身を制すべからず

アメリカ人、ウェイランドの著書「モラルサイエンス」を引用した言葉。人には、①それぞれ身体がある　②それぞれ知恵がある　③それぞれ情欲がある　④それぞれ至誠の本心がある　⑤それぞれ意志がある。

人はこれらの性質の力を自由自在に取り扱う。すなわち、このように一身の独立を成すものである。よって、お互いに権義を尊重しよう、の意なり。

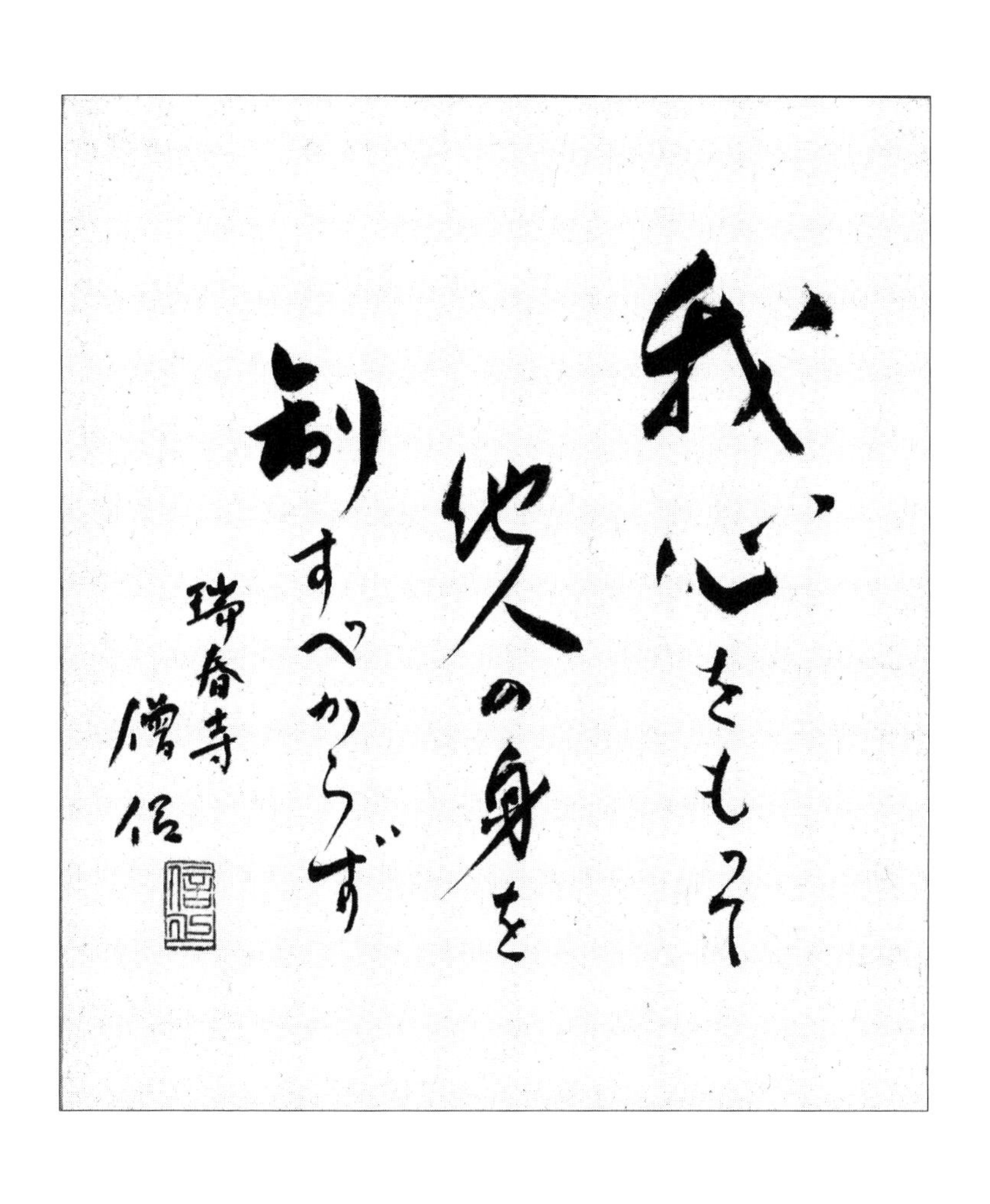
我心をもって
他人の身を
制すべからず
瑞春寺

六、方今（ほうこん）、我国民において憂ふべきは、その見識の賎（いや）しき事なり

物事全てに、例えば道理にも学問にも幅がある、裏表がある、内外両面がある。いずれか一方に偏ってはならない。近代日本をめざすわが国民は多面・多種化の問題を抱えている。事の善し悪しの判断を養い、事にあたらなければならない、これを見識という、の意。

方今我国民におい
て最も憂うべき
はその見識の賤し
き事なり　泰山かく

七、学問をするならば、その志を高遠にせざるべからず

「学問を志す」とは、いたずらに理想高きところを目指すことではない。飯（めし）を炊き風呂の火を焚くも学問なり。しかし、何事を処すにも努力が必要である。事の成果を得るに、安易な手段を求めがちであるが、むしろ難題への挑戦の方が成果を得ることが多いと心得なさい、の意。

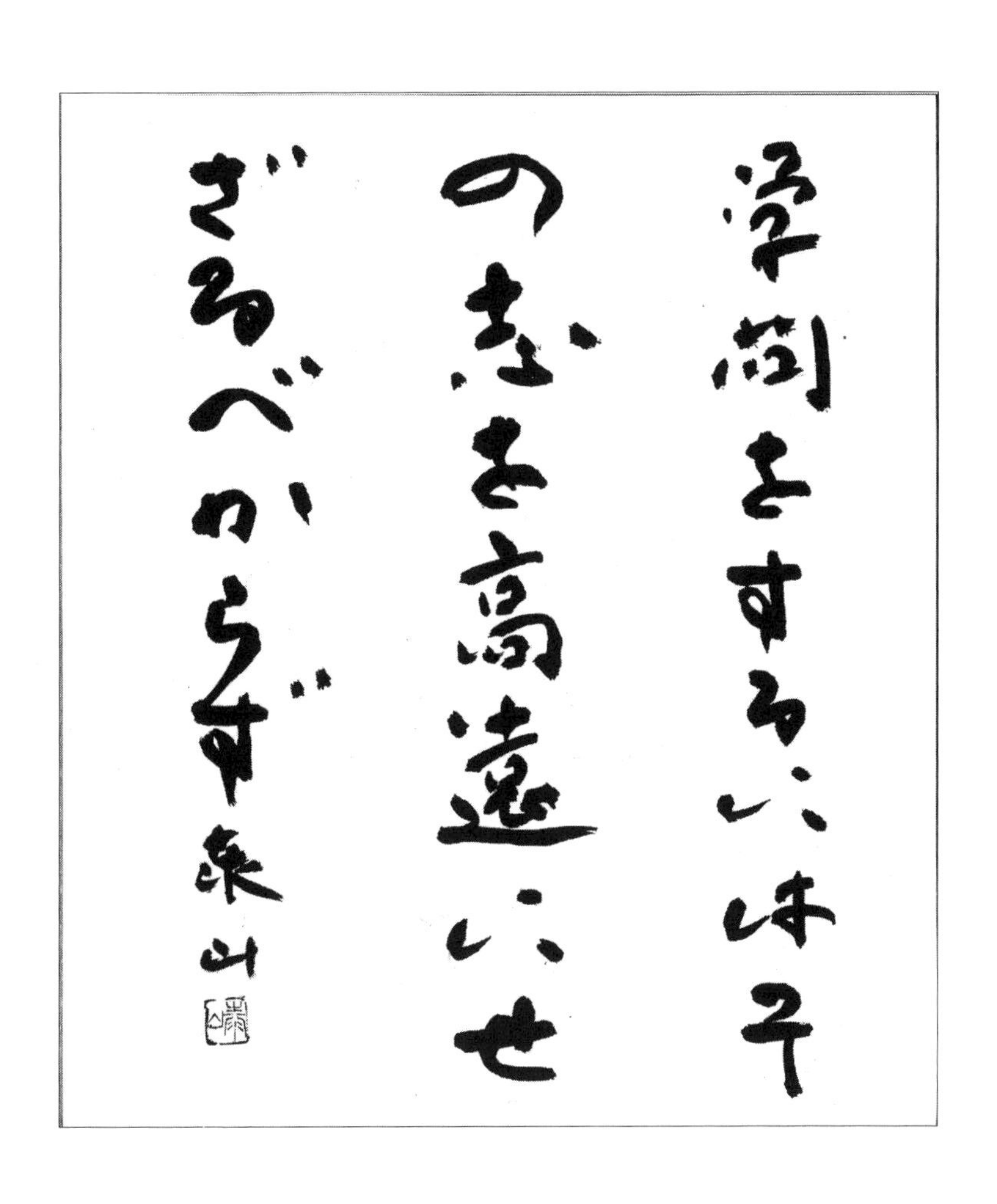
学問をするには其
の志を高遠にせ
ざるべからず
泉山

八、人間万事十露盤を用ひて決定すべきものにあらず。ただその用ゆべき場所と用ゆべからざる場所とを区別すること緊要なるのみ

人間万事、物の現象を見るに上から下から、右から左から、手前から奥から……、と。いずれが良いか、杓子定規には運ばない。物事を成すには柔軟性をもち、且つ、判断能力を養わねばならない、の意。

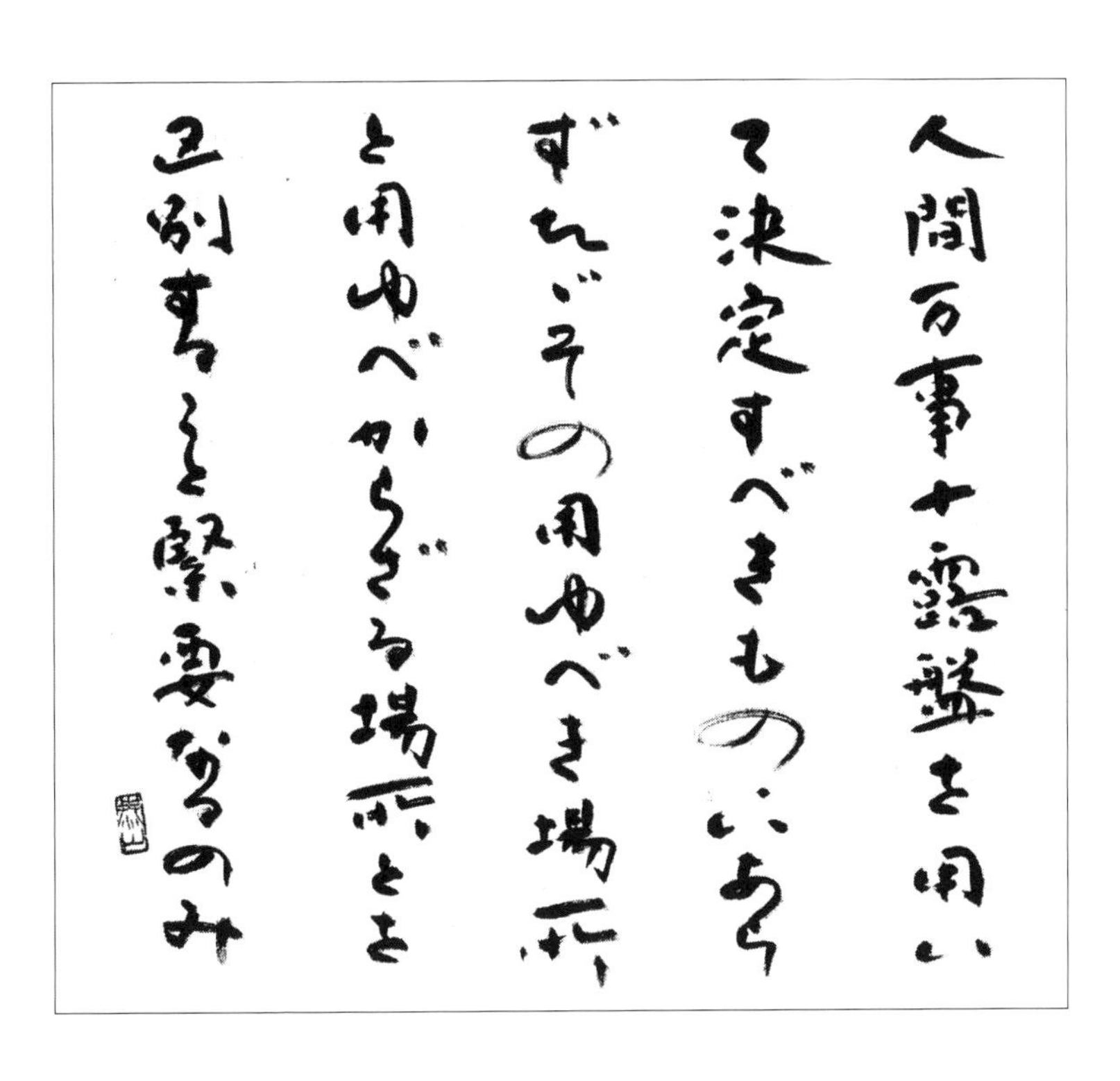
人間万事十露盤を用い
て決定すべきものにあら
ずただその用ゆべき場所
と用ゆべからざる場所とを
区別すること緊要なるのみ

九、学問に入れば大いに学問すべし。農たらば大農となれ。商たらば大商となれ

この文言は福澤先生の「故郷の友人に贈る言葉」の一部である。学問に上下はない。

・農たらば大農となれ、商たらば大商となれ。

・学問の志を高遠にせざるべからず。飯を炊き風呂の火を焚くも学問なり。天下の事を論ずるもまた学問なり。

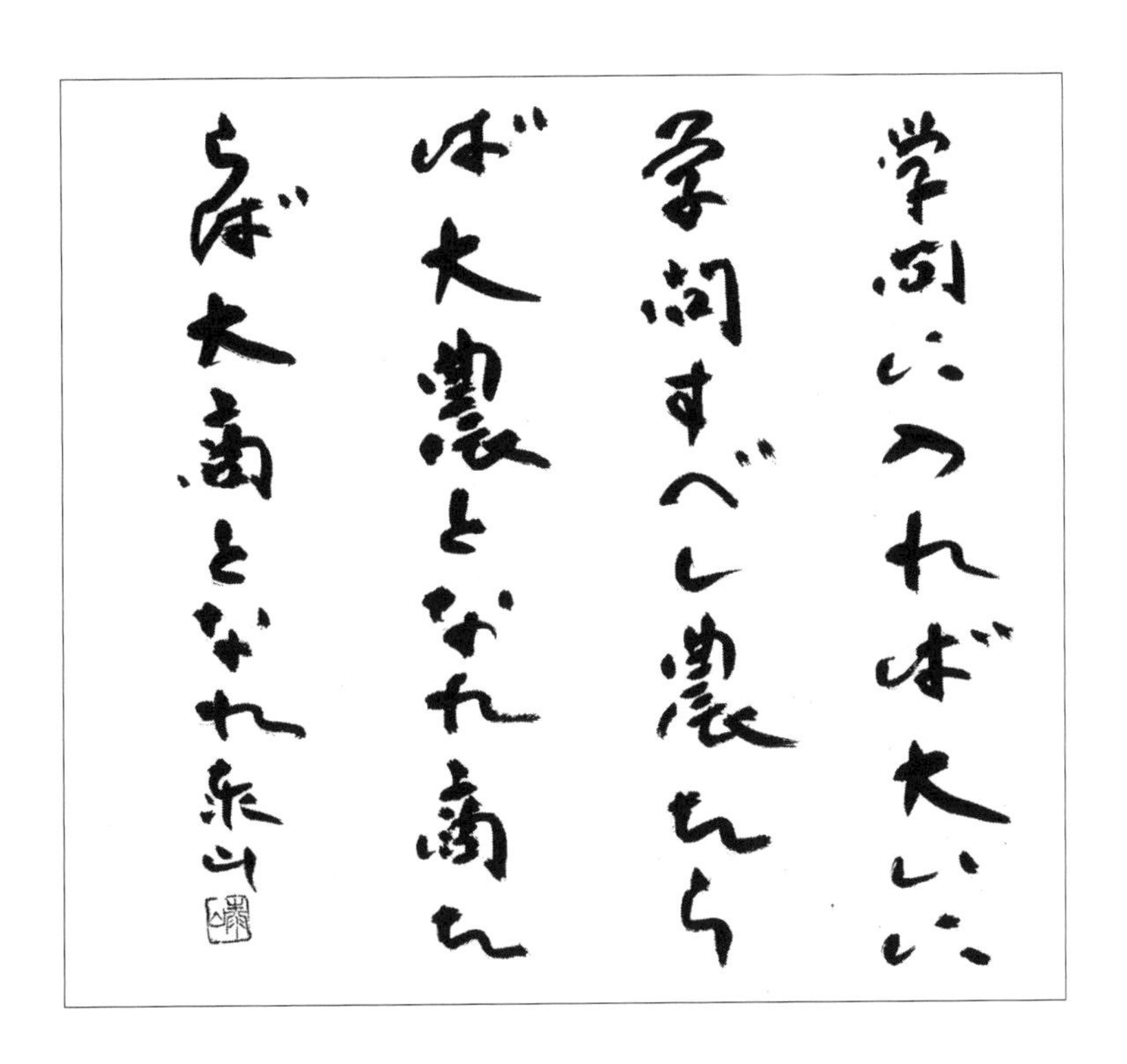
学問に入れば大いに
学問すべし農たら
ば大農となれ商たら
ば大商となれ
泰山

十、演説・スピーチは往々にして文章に優る。古来日本は重要なことは文章にするのみが習慣。しかるに近代には西洋に見る演説といふ習慣の取り入れの必要性あり

自分の意思を人々に伝える手段として演説・スピーチの重要性を考え、その方法を本に紹介したのは福澤先生をはじめとする塾関係者であった。慶應義塾豆百科は次のように記している。

「古来我が国には演説という習慣がなく、自分の意見を他に示し賛同を求めるには、書面にしたためこれを示す以外に方法がなく、重要なことは文章にするという文章第一主義が一般的であり、口頭による意見の発表は、充分に信頼のおけるものではないとの考えが支配的であった。しかしこの習慣を改めない限り、議会政治の開始はもとより、公平な裁判の実施すら覚束(おぼつか)なくなるというので、慶應義塾では教室の中での教育以外に、社会教育の一方法として工夫されたのが、この演説であった。」

演説スピーチは往々にして文章に
優る　古来日本は重要なことは
文章にするのみが習慣なるに近
代には西洋に見る演説という習慣
の取り入れの必要性あり　来山かく

その三 「福翁自伝」と四字熟語「独立自尊」

「時事新報」に連載「福翁自伝」

生涯を通して豊富な経験と知識で海外事情を人々に伝え、啓蒙をつづけた福澤先生。その存在は、時代に屹立（きつりつ）するオピニオンリーダーとして群を抜いていた。政府は閣内に迎えようと三顧の礼を尽くしたが、先生の思想は常に自由な民間人でありつづけることを選んだ。その選択は明治十五年（一八八二年）創刊の「時事新報」編集方針にもはっきり表れている。国会開設を控え、多くの新聞が政党色を帯びて世に政党機関紙時代と呼ばれる中にあって、わずか千五百部からスタートした先生のこの新聞は、「不偏不党」を掲げ、読みやすく充実した紙面が評判になって部数を伸ばし、やがて東京日日新聞・報知新聞・国民新聞・東京朝日新聞と並ぶ「東京五大新聞」の一つにまで成長した。

そして、明治三十一年（一八九八年）七月から翌年の二月まで、同紙に六十七回にわたって連載されたのが「福翁自伝」である。その範囲は次のように激動の半生を網羅している。

○幼少時代
○長崎遊学

○大阪修行
○緒方の塾風
○大阪を去って江戸に行く
○初めてアメリカへ渡る
○ヨーロッパ各国に行く
○攘夷論
○再度アメリカへ
○王政維新
○暗殺の心配
○雑記
○一身一家経済の由来
○品行家風
○老余の半生

読み継がれる「福翁自伝」

「時事新報」連載で大好評だった「福翁自伝」は、その後書籍出版されて版を重ねた。

昭和三十三年（一九五八年）には、慶應義塾開塾百周年を記念した新改訂版「福翁自伝」が出版されたが、それは初版以来初めての、現代かなづかい、当用漢字に切り替えた現代版の福翁自伝であった。それについては福澤諭吉研究の第一人者、富田正文氏が次のような校注解説をしておられる。

「福翁自伝が古今東西の自伝文学中、最高の傑作であることは、世にすでに定評がある。この書を読むと読まないとでは、日本が世界に誇りうる自伝文学上の傑作の一つに、親しく接するか否かという問題であると同時に、歴史上稀に見る変転激動の時期に際して、一人の優れた日本人がいかに生きたか、また彼の生き方によってその時代がいかに影響され、時代の変遷によって彼がいかに成長していったかという、時代と人物の相互関係の見事な浮き彫りに接して、今日我々自身の生き方の上に何物かつかむ機会を、得るか否かという大切な問題であると思う。しかも、これは読んで面白い書物である。私はいまだかつて、この書物を読んで面白くなかったという声を聞いたことがない。ただ近頃の少年の読者の中には少し読みにくいという訴えを聞くことがしばしばある。それは主として文字とかかなづかいのせいであるらしい。

もともと、この書は福澤諭吉がその晩年に速記者に口述して自ら訂正加筆してなったものであるから、叙述文章は談話体で、極めて読みやすくできているものであるが、今はすでに著者の死後五十年以上にもなり、文字や文章やことばの上にも、いちじるしい移り変わりがあるので、ことに近頃の当用漢字や現代かなづかいで教育された青少年には、原文のままでは、いささか抵抗を感じるものになっているのは事実である。

福翁自伝は著者の生前から今日まで、いろいろな形で復刻出版され、私自身その中のいくつかの校訂を担当したが、そのいずれの場合でも私は常に一字一句をもゆるがせにせず、ひたすら原文に忠実であることに努力することを忘れなかったのであるが、年若い読者の訴えを聞く度に、この人たちのために福翁自伝を読みやすくすることの必要を次第に痛感するようになった。

そこで、私は初めて思い切って大胆な新版をつくってみようと思い立った。先ず、全文を現代かなづかいと当用漢字に組みかえることを試みた。現代かなづかいや当用漢字は、いまはまだ試験的な段階で、学界でも結論が出ていないようであるが、少なくともこれによって教育された青少年には、このほうが読みやすいことは確かである。（以下省略）」

「福翁自伝」につづく「修身要領」

新聞連載「福翁自伝」の最後に福澤諭吉先生が述べられたのは、「私の生涯の中(うち)に出来(でか)してみたいと思うところは、全国男女の気品を次第々々に高尚に導いて真実文明の名に恥ずかしくないようにすること」である、ということであった。早くから海外に渡り先進国の人々の洗練された気品ある思想、態度に接してきた先生には、残念ながら多くの母国の人間にはそれが欠けていると痛感されたのだろう。気品とは常識ある礼儀正しさの中から自然に生まれ出るものだろうが、たとえば、先生が青年時代に蘭学を学んだ大阪の適塾などは、当時としては最も知的な若者たちの集まりだったにもかかわらず、夏などはつねに全員が「下帯(したおび)ひとつの真っ裸」の姿だったと先生は回顧している。今で言えば「パンツいっちょう」である。

欧米に追い付くためには勉学や知識の充実を図るだけでなく、生活態度そのものから変革しなければならないというのが先生の思想だった。人の身なりや態度は往々にしてその人の精神のありようを示しているからである。

先生は早くから、国民の道徳、品性を高めるための著作を構想しておられたが、明治三十四年(一九〇一年)九月、脳出血で倒れ執筆が困難になった。そこで慶應義塾の高弟や長男の福澤一太郎に命じて、新時代の道徳のための教訓集を編纂させることにした。弟子たちの合作に成るこの本の内容は、「独立自尊」を基本とする二十九か条の教訓で構成され、「修身要領」と名付けられた。その詳細は後で述べる。

「学問のすゝめ」「福翁自伝」「修身要領」関連年表

西暦	年号	事暦
1776年(安永5年)		アメリカ独立宣言
1834年	天保5年	福澤諭吉生誕
1857年	安政4年	緒方塾に在学し、この年理事長になる
1858年	安政5年	藩の命令で江戸へ。蘭学塾を開く、是れ、慶應義塾の起源
1860年	安政7年	咸臨丸にて渡米
1861〜1862年	文久元年〜2年	結婚、そして、幕府使節団員としてヨーロッパ歴訪
1863年	文久3年	蘭学塾より英語塾に転向
1872年	慶応4年 明治元年	4月「慶應義塾」と命名、組織も西洋式制度に。 即ち、志を同じくするものが共同で社を結び、 社中協力して維持経営する。 家塾脱して近代私学として新発足、した。
1872年	明治5年	「学問のすゝめ」初編
1875年	明治8年	三田演説館開館
1876年	明治9年	学問のすゝめ　17編脱稿
1881年	明治14年	福澤三八少年生誕
1882年	明治15年	『時事新報』創刊
1898年	明治31年	福翁自伝　時事新報に連載開始 9月(26日)　脳溢血症にかかる(65歳)
1899年	明治32年	福翁自伝　(300項目)脱稿 11月　修身要領草稿「独立主義の綱領」起草
1900年	明治33年	2月　修身要領全文二十九ヶ条完成・発表、「時事新報」にて公表
1900年〜	明治33年〜	三八少年・留学のためイギリスへ
1905年	明治38年	グラスゴー大学留学(夏目漱石と面識)、その後ドイツなど歴訪
1901年	明治34年	2月　脳溢血症にて逝去(68歳)
1901年	明治34年	修身要領：発行日　7月25日 編集者　慶應義塾 発行元　福澤三八(グラスゴー大学留学中)

第二章　「修身要領」に登場した四字熟語「独立自尊」

その一　「独立自尊」誕生に関する秘話

内山正熊教授の講演（前半）

平成七年（一九九五年）一月十日。三田キャンパス演説館で開催された「第百六十回福澤先生誕生記念会」において、内山正熊教授は「三八先生の思想と行動」と題して講演し、「独立自尊」の言葉がいつ、どのようにして生まれたか、長い間秘話とされていた事柄を公に語られた。その「独立自尊」という重要な造語が誕生した部分を速記録によって再現しておく。

「――ところで、慶應義塾の旗印と申しますと、〝三色旗〟と「独立自尊」になっておりますが、独立自尊という言葉はいったいいつ頃にできたかといいますと、みなさまは恐らく「修身要領」の中に出ているからその頃だろうと思われるかと存じます。しかし、「自尊」という言葉に関する限り、福澤三八先生がそれを初めて使われたのでございます。

三八先生のお名前は、諭吉先生の八番目に生まれた三番目の男の子であることからつけられたのであります。先生は、父上と同じ家の中で住んでいらして、その自分の部屋の前に、小さいが、なかなか立派な表装をした「自尊」という二字の額が掛かっていたと、高

新春恒例の第百六十回「福澤先生誕生記念会」が三田山上で行われ、義塾社中約五百人が出席。当日は鳥居泰彦塾長の年頭所感の後、内山正熊名誉教授による記念講演が行われた。
畔田藤治氏撮影　慶應義塾広報室提供

橋誠一郎先生はその名「随筆慶應義塾」に書いておられます。

その三八先生は、諭吉先生のご子息や親類、それに高橋先生など若い塾生たち、当時の少年仲間で、「自尊党」を組織されて、その副総裁を以て任じていらしたのでありますが、ただ誰も諭吉先生に総裁就任を求めた者はなく、先生ご自身もご承知なかったであろうと高橋先生は述べていらっしゃいます。その副総裁である先生は、御父上が福澤家の一室に掛かっている「自尊」の額をごらんになって、「独立自尊」という文字を案出されたのだろうと誇らしげに話していらしたそうであります。確かに、諭吉先生は早くから「自主独立」という言葉を使っていらしたのでありますが、「独立自尊」の文字を考え出されたのは極めて後のことでございます。もしそうであるとすれば、慶應義塾に「独立自尊」の名言が存する限り、三八先生の名は慶應義塾とともに不朽不滅であるといわなければならないと存じます。」〈内山正熊教授の講演（後半）は第四章に続く〉

『三田評論』平成七年四月号「福沢三八先生の思想と行動」より

コーヒーブレイク●高橋誠一郎さん

高橋誠一郎さん（明治十七年生まれ）は昭和五十三年の最終講義までの約七十

年に亘り、経済学部長などを務め、福沢諭吉先生の晩年に薫陶を受けた最後の一人と言われている。昭和二十二年には、第一次吉田内閣の文部大臣を務め、その就任時の演説で次のように語った。

「私どもは、自己の力にたよって事故を救う道を学ばなければなりません。完全な個人の発達は、やがてまた、社会における個人の地位を完全に満たさせる所以であります。個人が自己を知り、自己を尊重し、自己を注意するによって、各自互に相信じ、相和する人と人との温かい結合が成立するのです。そうして、個人の自覚がいよいよ深くなっていくにつれ、その結合の範囲はますます拡大し、人の人たる品位は無限に高尚美妙の境地に滲入し、億兆の人々相提携して、円満無欠の理想郷を現出するに至るべきであります。（中略）完全に個人を発達させることは、すなわち独立自尊の人を造ることです。われわれが完全に独立自尊の人となり、理性が完全に人間の行為を決定する時、やがてまた真理の平和的勢力によって、至善至福の世界は、この世に確立されるべきであります。かくて、真理の探究はまた、教育本来の目的でなければなりません。」

（参照・令和二年十二月二十二日付三田評論）

その二　「修身要領」の制定

「修身要領」制定までの経緯

安政五年（一八五八年）の義塾開設以来、先生はあらゆる機会に〝人間のあるべき心構え〟を教え、身辺の塾生はもとより、多くの国民に革命的ともいえる影響を与えてきた。その著作の一つ、「福翁自伝」は明治三十一年から翌年にかけて「時事新報」での掲載がつづけられたが、途中の同年九月、残念ながら先生が脳溢血症を患ったために、後半の執筆に門弟たちの助力が必要になった。その間先生は病床にあって、「福翁自伝」に続く、人々の生き方の規範についての次の著作を構想しておられた。

これを伝え聞いた高弟たちは先生のもとに参集し、その手足となって働くため、新たな著作、「修身要領」の実現に向けて動き出した。慶應義塾塾長を七年間務めた小幡篤次郎を筆頭とする編集委員会が結成され、メンバーは手分けして仕事を進め、一年余りかけて作ったたたき台の文章を、福澤先生に呈上した。

先生が目を通して完成した「修身要領」は、翌年二月、第四〇四回三田演説会で発表された。さらに翌日の「時事新報」の紙上にも全文が掲載され、以後読み継がれて、多くの日本人の

「修身要領」制作の頃の年表		
1890年～1897年	明治23年～30年	小幡篤次郎、第3代慶應義塾塾長に就任
1898年～1922年	明治31年～大正11年	鎌田栄吉、第4代慶應義塾塾長に、 その就任中に、「修身要領」制作
1899年	明治32年秋	修身要領草稿「独立主義の綱領」編纂着手 編集委員会は、前塾長小幡篤次郎を筆頭に、 当時在任の鎌田栄吉塾長ほか福澤一太郎、福澤捨次郎、 石河幹明、土屋元作の6名
1900年	明治33年	三八少年一九歳の時、留学のためイギリスへ、 グラスゴー大学留学、夏目漱石と会う、 その後ドイツなど歴訪（1905年、明治38年に帰国）
1900年	明治33年2月	修身要領全文二十九ヶ条が完成、発表。 「時事新報」にて公表。四字熟語「独立自尊」が公に
1900年	明治33年12月	12月31日、明日からの新世紀を祝い 「独立自尊迎新世紀」を書に、これ遺墨となる
1901年	明治34年2月	先生、脳溢血症にて逝去（68歳） 法名「大観院独立自尊居士」

註：慶應義塾歴代塾長

第１代　1881 ～ 1887 年　浜野定四郎
第２代　1887 ～ 1890 年　小泉信吉
第３代　1890 ～ 1897 年　小幡篤次郎（「修身要領」編集委員）
第４代　1898 ～ 1922 年　鎌田栄吉（「修身要領」編集委員）
　　　　（明治 33 年）1900 年２月「修身要領」制定
　　　　（明治 34 年）1901 年７月発行
第５代　1922 ～ 1923 年　福澤一太郎（「修身要領」編集委員）
第６代　1923 ～ 1933 年　林　毅陸
第７代　1933 ～ 1947 年　小泉信三
第８代　1947 ～ 1956 年　潮田江次
第９代　1956 ～ 1960 年　奥井復太郎
第 10 代　1960 ～ 1965 年　高村象平
第 11 代　1965 ～ 1969 年　永沢邦男
第 12 代　1969 ～ 1973 年　佐藤朔
第 13 代　1973 ～ 1977 年　久野洋
第 14 代　1977 ～ 1993 年　石川忠雄
第 15 代　1993 ～ 2001 年　鳥居泰彦
第 16 代　2001 ～ 2009 年　安西祐一郎
第 17 代　2009 ～ 2017 年　清家篤
第 18 代　2017 ～ 2021 年　長谷山彰
第 19 代　2021 ～　伊藤公平

生き方の指標になっていくのである。時に先生が亡くなられる僅か一年前のことであった。

「修身要領」の内容

完成した「修身要領」には、早くも第一条から、「吾党の男女は独立自尊の主義を以て修身処世の要領と為し、之を服膺して人たるの本分を全うす可きものなり」と、「独立自尊」の語が使われ、それがいかに大切なことかを説いている。

ここに「独立自尊」という四字熟語が初めて現れたのである。それればかりか、「修身要領」二十九か条は全体が独立自尊の精神を軸として構成されていた。慶應義塾の教育基本となるこの精神は、「修身要領」に不動不抜の基本項目として設定されたものであった。

すでに述べたように、福澤先生はこれに先立つ「学問のすゝめ」の文中、「独立」「自由」とその関連語を百五十回も使っているが、その中に「独立自尊」という言葉は一つとしてなかった。それが「修身要領」作成の時点では、全文二十九か条のうち十七か条もの多くの項目中に使用しているのだから、実に思い切った決断をされたというほかない。

以下に、「修身要領」の全文を掲げるが、特に「第二条」に、「独立自尊」の定義が述べられていることに注意していただきたい。

「修身要領」全文

凡そ日本国に生々する臣民は、男女老少を問はず、万世一系の帝室を奉戴して、其恩徳を仰がざるものある可らず。此一事は満天下何人も疑を容れざる所なり。而して、今日の男女が今日の社会に処する道を如何す可きやと云ふに、古来道徳の教、一にして足らずと雖も、徳教は人文の進歩と共に変化するの約束にして、日新文明の社会には自ら其社会に適するの教なきを得ず。即ち修身処世の法を新にするの必要ある所以なり。

第一条　人は人たるの品位を進め、知徳を研き、ますます其光輝を発揚するを以て、本分と為さざる可らず。吾党の男女は、独立自尊の主義を以て修身処世の要領と為し、之を服膺して、人たるの本分を全うす可きものなり。

第二条　心身の独立を全うし、自ら其身を尊重して、人たるの品位を辱めざるもの、之を独立自尊の人と云ふ。

第三条　自ら労して自ら食ふは、人生独立の本源なり。独立自尊の人は自労自活の人たらざる可らず。

第四条　身体を大切にし健康を保つは、人間生々の道に欠く可らざるの要務なり。常に心身を快活にして、苟めにも健康を害するの不養生を戒む可し。

第五条　天寿を全うするは人の本分を尽すものなり。原因事情の如何を問はず、自ら生命を害するは、独立自尊の旨に反する背理卑怯の行為にして、最も賎む可き所なり。

第六条　敢為活潑、堅忍不屈の精神を以てするに非ざれば、独立自尊の主義を実にするを得ず。人は進取確守の勇気を欠く可らず。

第七条　独立自尊の人は、一身の進退方向を他に依頼せずして、自ら思慮判断するの智力を具へざる可らず。

第八条　男尊女卑は野蛮の陋習なり。文明の男女は同等同位、互に相敬愛して各その独立自尊を全からしむ可し。

第九条　結婚は人生の重大事なれば、配偶の撰択は最も慎重ならざる可らず。一夫一婦終身同室、相敬愛して、互に独立自尊を犯さゞるは、人倫の始なり。

第十条　一夫一婦の間に生るゝ子女は、其父母の他に父母なく、其子女の他に子女なし。親子の愛は真純の親愛にして、之を傷けざるは一家幸福の基なり。

第十一条　子女も亦独立自尊の人なれども、其幼時に在ては、父母これが教養の責に任ぜざる可らず。子女たるものは、父母の訓誨に従て孜々勉励、成長の後、独立自尊の男女として世に立つの素養を成す可きものなり。

第十二条　独立自尊の人たるを期するには、男女共に、成人の後にも、自ら学問を勉め、知識を開発し、徳性を修養するの心掛を怠る可らず。
第十三条　一家より数家、次第に相集りて、社会の組織を成す。健全なる社会の基は、一人一家の独立自尊に在りと知る可し。
第十四条　社会共存の道は、人々自ら権利を護り幸福を求むると同時に、他人の権利幸福を尊重して、苟も之を犯すことなく、以て自他の独立自尊を傷けざるに在り。
第十五条　怨を構へ仇を報ずるは、野蛮の陋習にして卑劣の行為なり。恥辱を雪ぎ名誉を全うするには、須らく公明の手段を択むべし。
第十六条　人は自ら従事する所の業務に忠実ならざる可らず。其大小軽重に論なく、苟も責任を怠るものは、独立自尊の人に非ざるなり。
第十七条　人に交るには信を以てす可し。己れ人を信じて人も亦己れを信ず。人々相信じて始めて自他の独立自尊を実にするを得べし。
第十八条　礼儀作法は、敬愛の意を表する人間交際上の要具なれば、苟めにも之を忽にす可らず。只その過不及なきを要するのみ。
第十九条　己れを愛するの情を拡めて他人に及ぼし、其疾苦を軽減し其福利を増進するに勉むるは、博愛の行為にして、人間の美徳なり。
第二十条　博愛の情は、同類の人間に対するに止まる可らず。禽獣を虐待し又は無益の殺生を為すが如き、人の戒む可き所なり。

第二十一条　文芸の嗜は、人の品性を高くし精神を娯ましめ、之を大にすれば、社会の平和を助け人生の幸福を増すものなれば、亦是れ人間要務の一なりと知る可し。

第二十二条　国あれば必ず政府あり。政府は政令を行ひ、軍備を設け、一国の男女を保護して、其身体、生命、財産、名誉、自由を侵害せしめざるを任務と為す。是を以て国民は軍事に服し国費を負担するの義務あり。

第二十三条　軍事に服し国費を負担すれば、国の立法に参与し国費の用途を監督するは、国民の権利にして又其義務なり。

第二十四条　日本国民は男女を問はず、国の独立自尊を維持するが為めには、生命財産を賭して敵国と戦ふの義務あるを忘る可らず。

第二十五条　国法を遵奉するは国民たるもの丶義務なり。単にこれを遵奉するに止まらず、進んで其執行を幇助し、社会の秩序安寧を維持するの義務あるものとす。

第二十六条　地球上立国の数少なからずして、各その宗教、言語、習俗を殊にすと雖も、其国人は等しく是れ同類の人間なれば、之と交るには苟も軽重厚薄の別ある可らず。独り自ら尊大にして他国人を蔑視するは、独立自尊の旨に反するものなり。

第二十七条　吾々今代の人民は、先代前人より継承したる社会の文明福利を増進して、之を子孫後世に伝ふるの義務を尽さざる可らず。

第二十八条　人の世に生るゝ、智痴愚強弱の差なきを得ず。智強の数を増し愚弱の数を減ずるは教育の力に在り。教育は即ち人に独立自尊の道を教へて之を躬行実践するの工風を啓くものなり。

第二十九条　吾党の男女は、自ら此要領を服膺するのみならず、広く之を社会一般に及ぼし、天下万衆と共に相率ゐて、最大幸福の域に進むを期するものなり。

「修身要領」の表紙

名古屋市鶴舞中央図書館所蔵

注・発表された「修身要領」の末尾には、「明治三十三年六月病後初筆　福澤諭吉」という添え書きがあった。これは先生が同三十一年九月脳溢血症に罹って以来初めて筆を執ったということであり、著作の完成時に自ら全文を墨書し、サインしたものである。

修身要領の「掛け軸」も作られた（年代不詳）

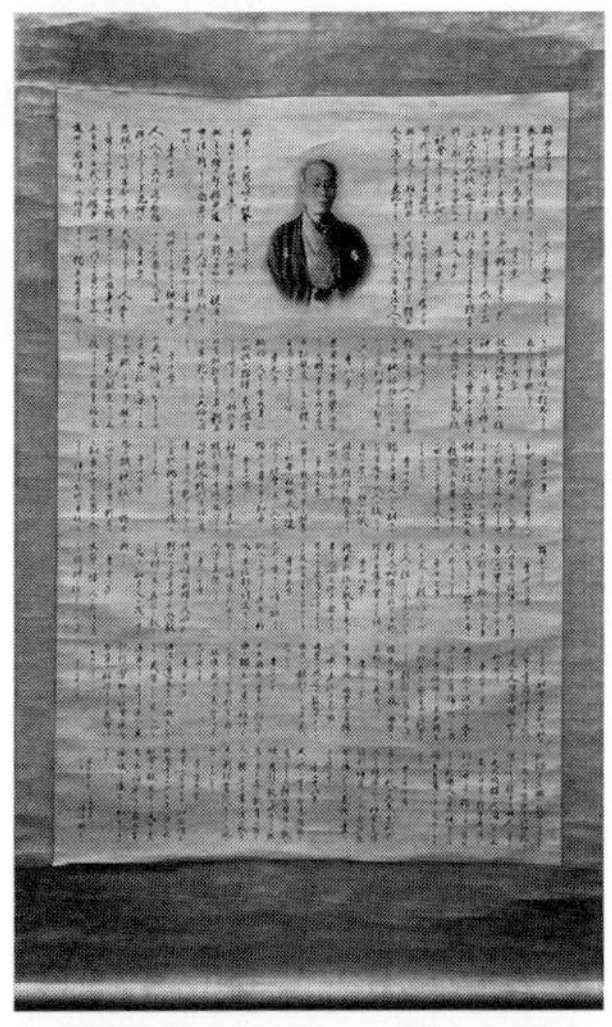

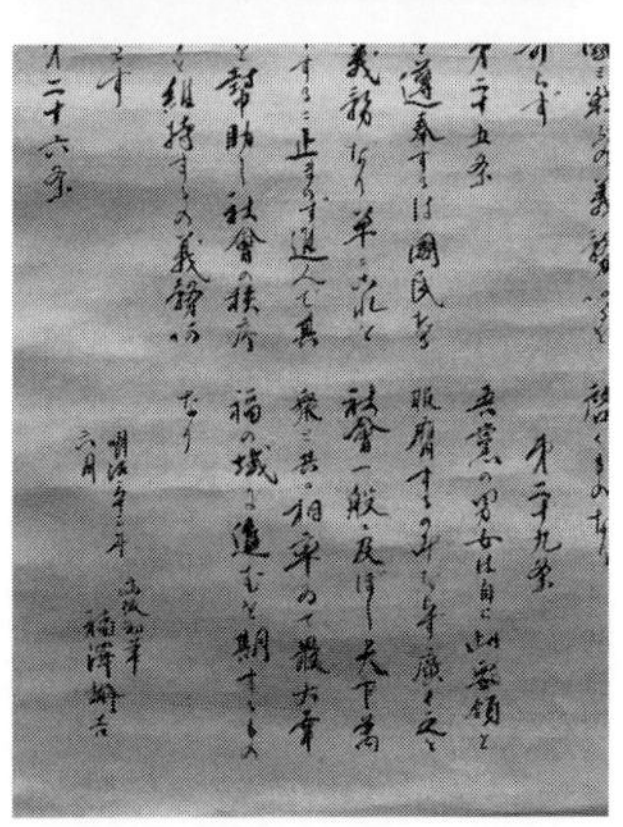

第二十九条
吾黨の男女は自ら此要領を服膺するのみならず廣く之を社會一般に及ぼし天下萬衆と共に相率ゐて最大幸福の域に進むを期するものなり

明治三十三年六月　病後初筆　福澤諭吉

「修身要領」の本文

り恥辱を雪ぎ名譽を全うするは須らく公明の手段を擇むべし

第十六条

人は自から従事する所の業務に忠實ならざる可らず其大小輕重に論なく苟も責任を怠るものは獨立自尊の

名古屋市鶴舞中央図書館所蔵

「修身要領」の奥付

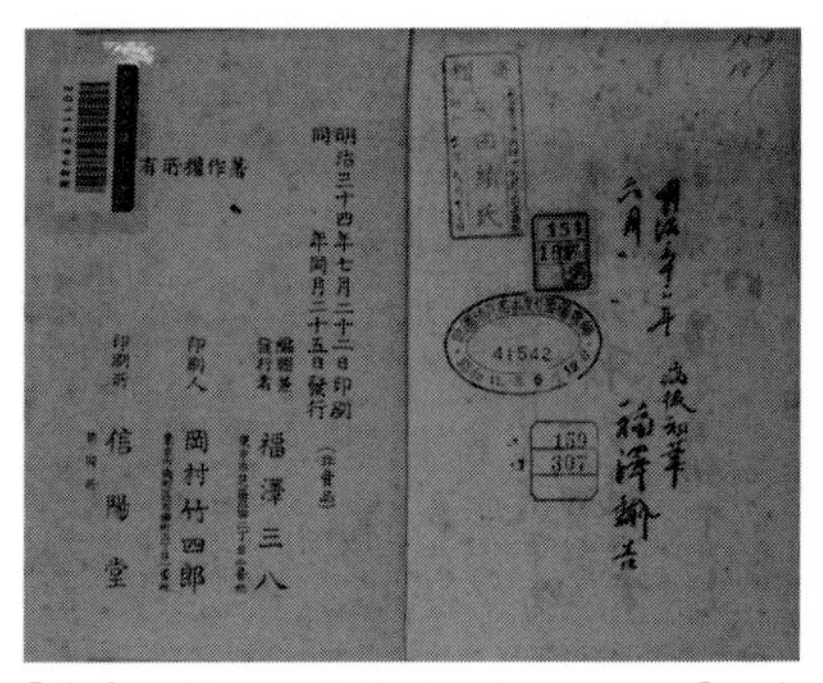

明治三十四年七月二十二日印刷
同　年同月二十五日發行　（非賣品）

著作權所有

編輯兼發行者　福澤三八
印刷人　岡村竹四郎
印刷所　信陽堂

明治三十三年六月　病後初筆　福澤諭吉

「修身要領」の最終頁（右）には、「明治三十三年六月　病後初筆　福澤諭吉」と記されている

名古屋市鶴舞中央図書館所蔵

「修身要領」についての解説

「修身要領」完成までの経緯については、慶應義塾豆百科が次のように説明している。

「……作成に当たったのは、小幡篤次郎、鎌田栄吉、福澤一太郎、福澤捨次郎、石河幹明、土屋元作の六名で、最初の草稿「独立主義の綱領」を起草したのは土屋であった。

注目されるのはこの草稿の表紙裏に「此稿十一月三日成。四日福澤先生に呈す。五日先生宅に於いて第一会、出席小幡先生、一太郎氏、石河氏、小生。十二月八日小幡先生宅集会。出席石河氏、小生。同十一日夜小生第二構成」とあることである。そしてこの段階で先生から一つの提案がなされた。それは編集委員に日原昌造を是非迎えたいとするものであった。当時日原は山口県豊浦に隠棲していたが、福澤先生の懇願により歳末に上京、年が明けると共に日原を交えて再び協議を重ねたが、席上日原は個々の条文の検討はともかくとして、この綱領全般を通じての成るべき項目を先ず決めることを主張し、かりにそれを「独立自尊」（或は自重）としては、と諮ったところ一同異議なく賛成し、その後幾度かの会合を持ちながら、一太郎や鎌田らの手で全体の構成と条文の作成が行われたのであった。その過程で福澤先生に大筋での指示を仰いだのはいうまでもなく、例えば当初「修身綱領」とあったのを「修身要領」と改めたのは、福澤先生の示教によるものであった。そして最後の仕上げに当たったのが、石河幹明と小幡篤次郎であった。石河は「時事新報」で論説を担当、その文章はよく福澤の衣鉢を継ぐ人といわれていた。こうした手順を経て生まれた最終稿に対して、福澤先生はその第一条をむしろ前文とすべき旨の助言をされたのであった。全二十九条という箇条的にはいささか半端な構成となったのはそのためである。

この「修身要領」の発表は義塾社中に大きい影響を残すと共に、一部からは激しい攻撃をも受けた。批判の第一はこの要領には忠孝の教えがなく、しかも道徳は時代と共に変化するものだとした点で、「教育勅語」に背馳（はいち）するとの指摘であった。ともあれ「独立自尊」という言葉が、義塾建学の精神の象徴として定着したのは、「修身要領」制定以降の所産といって良い。」

「修身要領」名言五選

一、心身の独立を全うし、自（みずか）らその身を尊重して、人たるの品位を辱（はずかし）めざるもの、之を独立自尊の人と云ふ

他人に左右されない健全なる身体と心を目指して頑張りなさい。更に、人から敬愛されるような品格を身につける、これこそが、「独立自尊の人」であるという。

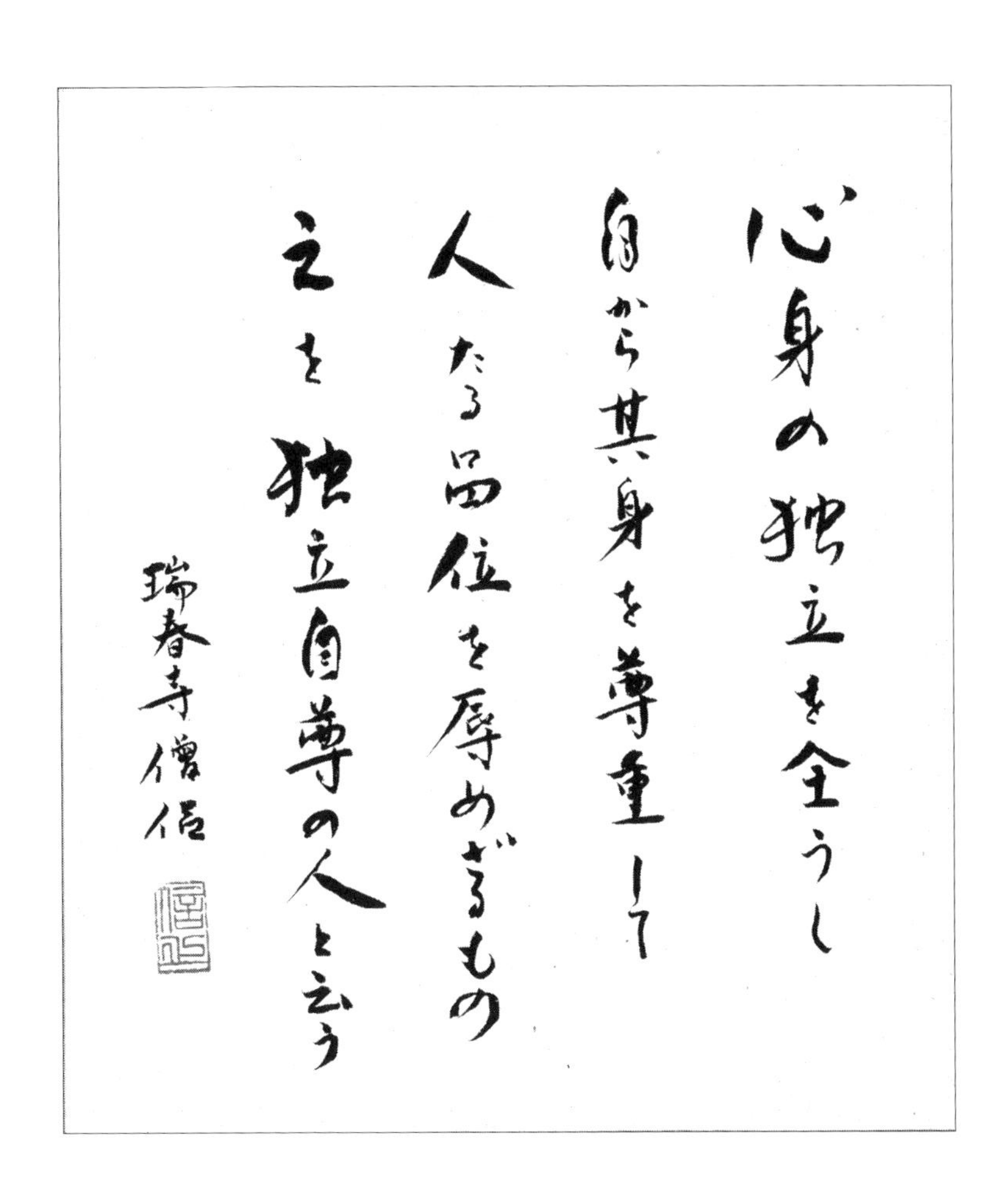
心身の独立を全うし
自から其身を尊重して
人たる品位を辱めざるもの
之を独立自尊の人と云う
瑞春寺僧侶

二、自ら労して自ら食ふは、人生独立の本源なり。独立自尊の人は自労自活の人たらざる可からず

人間は自給自足の能力を身につけるが原点。そして社会に役立つように成長する、独立自尊の人であるからには。

自から労して自から食ふは
人生独立の本源なり独立
自尊の人は自労自活の人
たらざる可からず　泰山かく

三、**身体を大切にし健康を保つは、人間生々(せいせい)の道に欠く可らざるの要務なり。常に心身を快活にして、苟(かりそ)めにも健康を害するの不養生を戒む可し**

人間は生、健康に留意して成長すべしとの教え。

・仏教にも「生生世世」という言葉がある。「現世も来世も、いつの世までも未来永劫」ということ。

・中国易経に「生生之謂易（生生之(これ)を易と謂(い)う）」、荘子に「生生者不生（生を生とするものは不生なり）」という。

・英語の格言にも「健全なる精神は健全なる身体に宿る」とある。

身体を大切にし健康を保つ
は人間生々の道に欠く可から
ざるの要務なり常に心身を快
活にして苟めにも健康を害す
るの不養生を戒む可し 泰山

四、独立自尊の人は、一身の進退方向を他に依頼せずして、自ら思慮判断するの智力を具へざる可らず

独立自尊の人を目指すなら、自分の進退は自分で判断できるように。そして、「信の世界に偽詐(ぎさ)多く、疑の世界に真理多し」です。真偽の判断が自分でできるように勉強しなさい。

独立自尊の人は一身の進退
方向を他に依頼せずして自
ら思慮判断するの智力を
具へざるべからず　春山かく

五、一家より数家、次第に相集りて、社会の組織を成す。健全なる社会の基は、一人一家の独立自尊に在りと知る可し

国民の気力がなければ、その国の健全なる社会はありえない。国民一人一人の自立することが原点でなければならない。

一家より数家次第に相集りて社会の組織を成す健全なる社会の基は一人一家の独立自尊に在りと知る可し
泰山かく

「修身要領」と福澤諭吉先生の遺墨

○中国の名著にはない熟語、「独立自尊」

一般的に中国の名著といえば、四書五経や史記であり、それは格言、名言の宝庫になっている。四書とは、大学、中庸、論語、孟子、であり、五経は、易経、書経、詩経、春秋、礼記、をいう。

そして、これらの中でも、日本人に親しい書籍は「論語」である。古代中国・春秋時代の思想家、孔子の言行を記録した「論語」は、三世紀の終わりごろ、百済の博士王仁によって日本に伝えられた。我が国最古の書「古事記」の成立が和銅五年（七一二年）であるから、それに先立つ四百年以上も前である。したがってこれは、日本人が手にした最初の書物ということになる。

近代日本が世界に羽ばたくきっかけは一八五四年、日米和親条約の締結に始まるが、海外からの影響ということでいえば、そのはるか以前のこの古代から、日本は中国から政治、経済、文化、あらゆる面において多くのものを受け取ってきた。世界に二百以上もある国の中で、日本人は一、二を争う礼儀正しい国民性をもち、それは自他ともに認めるところである。そしてその遠因は、やはりこれら中国の書物の影響の大きかったことを認めざるを得ない。

では、これら論語をはじめとする中国書物の中で、「自由」「民主」「平等」といった民主主義的な塾語が使われているかというと、二千年にわたって皇帝による専制統治が続いた中国では、さすがにそれはない。儒教にもとづく調和の精神や、長い歴史の経験から生まれた言葉が主である。さらに、中国人が会話の中でよく使う塾語は日本で使われている熟語の母型であって、発音は違うが字で書けば「一石二鳥」「弱肉強食」など、我々にもなじみ深いものが多い。

この分野に詳しい中国人に、中国に「独立自尊」という熟語があるかを問い合わせたところ、逆に、「中国にはないが、日本語の「独立自尊」は有名です」との返事か来たのが興味深かった。

○書家が諭吉先生の書を鑑定

このページに掲載した福沢諭吉先生の書について、漢学者であり書家の吉岡泰山氏に意見を伺ったところ、「プロの書家とは違った素晴らしい味がある書」、と、次のようなコメントを頂いた。

「古来、書は法律の条文であったり、手紙であったり、要は実用のためのものだった。書道が、実用を離れて漢字そのものを美しく表そうとし、芸術の領域に進んでいったのは、或る意味で堕落の始まりであったのかもしれない。

本来の目的からいえば、書はどうあるべきか。内容がしっかりとしていなければならない。文字は正確でなければならない。堂々としていなければいけない。そして、自然であるべき。飾ってはいけない。そのうえで、余白がクッキリ浮き出る書が最も美しいといえる。書の古典として伝わる資料は、例えば王義之蘭亭の序・十七帖、顔真卿の争座位帖、懐素千字文などが不滅の名作になっている。ことに顔真卿の書に至っては、唐王朝に対する忠誠と、賊軍によって身内を失った悲しみを紙面にぶつけたものであるため、美しいを通り越してすごさを感じさせるばかりだ。

日本人はひらがなを発明した。妙に変体仮名を使う人は多いが、正確なひらがなを書く人は少ない。福沢諭吉先生は相当に「書」を勉強されたようだ。」

○先生が造った四字熟語「独立自尊」誕生の喜び
「明治」という、革命的変化が始まった時代に、日本人はいかに生きるべきか。そして、その生き方を端的に表す言葉はないか。そのことを模索し続けた福沢諭吉先生はついに、「独立自尊」の四文字にたどりついた。

その喜びがいかに大きなものであったか。それを証明する先生の行動が豆百科に記録されている。

「独立自尊」の語が頻出する「修身要領」が完成した時、時代はちょうど二十世紀を迎えようとしていた。明治三十三年（一九〇〇年）の大晦日、慶應義塾三田山上で塾生主催の「世紀送迎会」が開かれ、多彩な催事で盛り上がりを見せるうちに新年を迎え、カウントダウンと同時に華やかな仕掛け花火が新世紀の到来を祝った。そのとき先生は、「独立自尊迎新世紀」の文字を大書するパフォーマンスを行い、喝采を浴びた。

これが事実である証拠の下書きが今も残っている。「独立自尊、新世紀を迎える」を漢文表記したこの書を、先生は最初、「独立自尊入廿世紀」、「独立自尊入廿新世紀」、「独立自尊入新廿世紀」、「独立自尊迎新廿世紀」などとさまざまに試行されたが、最終的に口調のよい「独立自尊迎新世紀」を選んだという。

しかし、この希望に満ちた門出の熱もまださめやらぬ僅か二か月後、再度襲いかかった病魔のために先生は不帰の人となり、衆目のなかで揮毫（きごう）したこの書が遺墨となったのであった。

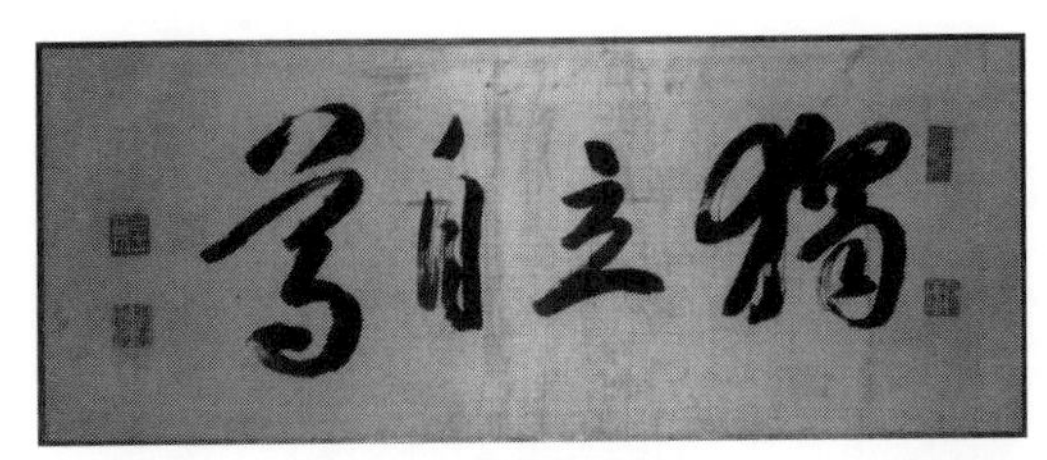

福澤遺墨コレクション「独立自尊」
慶應義塾図書館所蔵

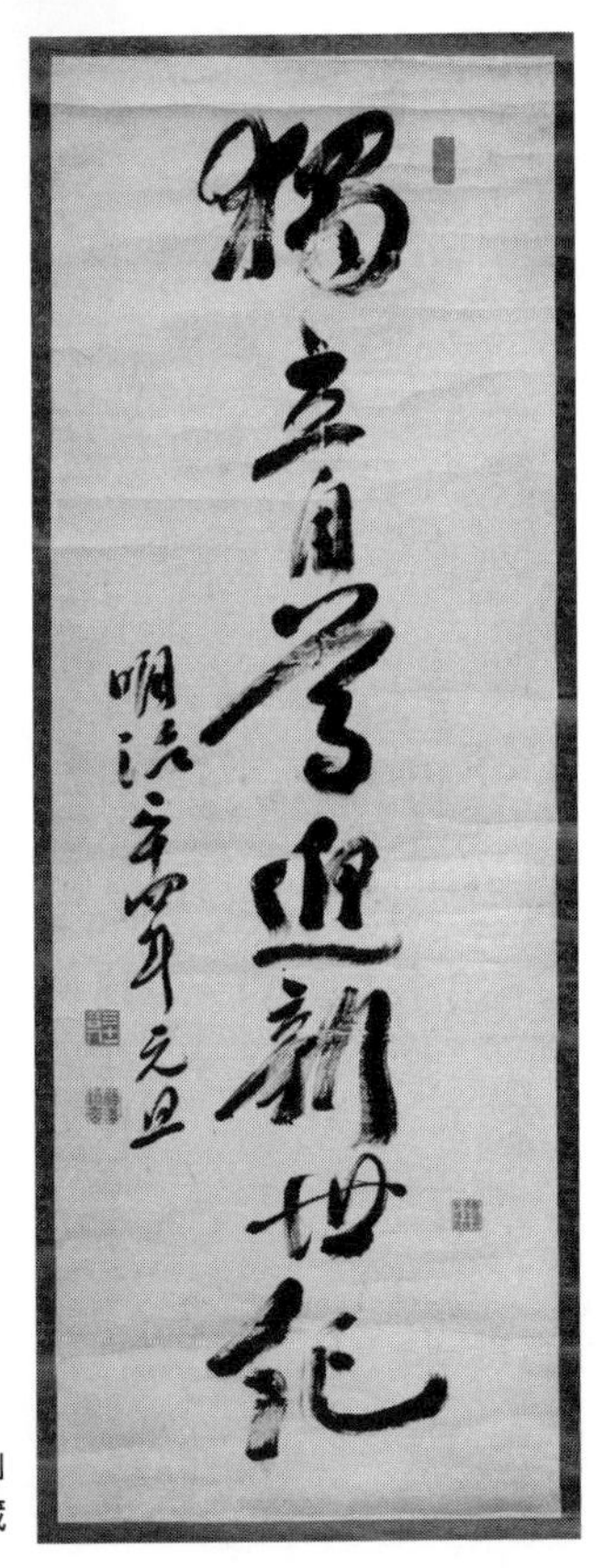

福澤遺墨コレクション「独立自尊迎新世紀」
慶應義塾図書館所蔵

第三章　四字熟語「独立自尊」誕生の原点

その一　福澤先生の目にとまった「自尊」の文字

三八少年、自尊党を結成

いよいよ、「独立自尊」誕生の原点へ話を進め、先に紹介した内山正熊教授の話が現実か幻かの検証に移ろうと思う。そこで重要人物となるのが福澤先生の三男、福澤三八さんである。もちろん本著の主人公は先生であるから、三八さんを主人公と呼ぶわけにはいかないが、この章から後、三八さんが co-starring（共演）の大きな役割を担っていくことになる。

明治二十二年（一八八九年）、小学生の三八少年（当時満九歳）は、親戚の子や入塾したばかりの高橋誠一郎さん（七歳）などの遊び友達と、「自尊党」という少年隊を結成し、自らその副総裁を名乗っていた。意気高らかに党を結成した以上、高く掲げる旗のようなものが必要である。多分そう考えたのだろう。三八さんは、少年隊の精神を表した「自尊」という言葉を半紙に筆書きし、額に入れて自分の部屋の前に飾った。そうした旗を掲げた自分の部屋が「自尊党」本部である、との宣言だったかも知れない。「自尊」の文字を、福澤先生も微笑んで眺めただろう。だが次の瞬間、「これだ！」と先生にひらめくものがあった。先生は以前から、これからの日本人の生き方を端的に表す言葉を模索しておられたが、もう一つ何か言い足りないと、もやもやしていた気分が完全に晴れた瞬間だった。

この話が事実だという証言がある。当時の少年隊メンバーの一人で、後に慶應義塾教授になり、吉田内閣の文部大臣も務めた高橋誠一郎さんが、自著「随筆慶應義塾」に三八さんの言葉を次のように書いている。「父が、自分の部屋の前に飾ってあった「自尊」の額を見て、「独立自尊」という言葉を案出したと、誇らしげに語っていた」と。

先生は長年探し求めていた言葉を、思いがけなく偶然に発見したのである。

しかしその後しばらく、先生はこの言葉をあまり使われなかったようだ。記録にある回数も少ない。額を見た直後の明治二十三年八月二十九日付の「時事新報」の社説「尚商立国論」の中で使ったのが最初。次は三十年六月十九日、三田キャンパス演説館での演説の中で。そして同年十月二十四日付「時事新報」掲載の「福翁自伝百余話」に於いて。この三回だけであった。

言い換えるなら、三十三年（一九〇〇年）に「修身要領」が完成し、「独立自尊」の文字が奔出したそのときこそが、先生にとって最も重いこの言葉が公的に誕生した瞬間だった。

福澤三八（明治43～44年頃撮影）
慶應義塾福澤研究センター提供

年月日		「独立自尊」に関する備考
1874年	明治7年1月	幼稚舎の創始
1876年	明治9年	「学問のすゝめ」脱稿
1890年	明治9年	三八少年（満9歳）は友人、親戚、高橋誠一郎（7歳）らで 「自尊党」を結成、自ら副総裁を名乗る。党のモットーは 「自尊」。三八少年の額「自尊」を先生が見て感動
1890年	明治23年 8月29日	三八少年の書「自尊」に感動し、時事新報の社説 「尚商立国論」の中でことば「独立自尊」を初めて使用
1897年	明治30年 6月19日	第三六八回三田キャンパス演説館で 「人の独立自尊」と題して演説（二回目）
1897年	明治30年 10月24日	時事新報に掲載の「福翁百余話」（八）知徳の独立」の中で、 独立自尊の本心は百行の源泉にして、 源泉滚々（こんこん）到らざる所なし」と書く（三回目）
1898年	明治31年	先生、9月（26日）　脳溢血症にかかる（65歳）
1899年	明治32年	「福翁自伝」脱稿、文中にことば「独立自尊」なし
1899年	明治32年 秋	修身要領草稿「独立主義の綱領」編纂着手。 編集委員は、小幡篤次郎、鎌田栄吉、福澤一太郎、 福澤捨次郎、石河幹明、土屋元作の6名
1900年	明治33年	三八少年一九歳の時、留学のためイギリスへ。 グラスゴー大学留学、夏目漱石と会う。 その後ドイツなど歴訪（1905年、明治38年に帰国）
1900年	明治33年 2月	「修身要領」全文二十九ヶ条が完成・発表 （ことば「独立自尊の公的誕生」）、「時事新報」にて公表
1900年	明治33年 12月	12月31日、明日からの新世紀を祝い 「独立自尊迎新世紀」を書に、これ遺墨となる
1901年	明治34年 2月	先生、脳溢血症にて逝去（68歳） 法名「大観院独立自尊居士」
1901年	明治34年 2月	修身要領：発行日7月25日 編集者　慶應義塾 発行元　福澤三八（イギリス留学中）

その二　「独立自尊」誕生秘話は現実か幻かの検証

検証1　三八少年ら（六〜十歳）の知力の信憑性は？

三八さんたち少年が自尊党なるものを結成し、その心を「自尊」とした。一般論からすると、幼い子供たちにそんなことができるのかという疑問を感じる。

「三八少年らの「自尊党」結成って、どう思われますか？」

この質問を漢学者・書家の吉岡泰山氏にぶつけてみた。答えは、「一言でいうなら、六から十歳は人が最も伸びる時です」。そして、次の四つの事例が添えてあった。

事例一　「十で神童十五で才子、はたち過ぎれば只の人」

戯言のようだが至言と思う。人は十歳までに無限の能力を発揮する。また、記憶力の最も盛んな時は十歳という説がある。これも動かすことのできない真実と思う。「只の人」もまた決して軽く見てはいけない。真面目に働いて自立するならば充分立派なのだ。私自身も小学四年の頃、美しい星座の話を聞いてこのまま忘れたくないと、ノートにすごい勢いで筆記した。夢中の情熱で二十ページは埋め尽くした記憶がある。私の息子も子供のころプラモデルに熱中して、夜の二時三時まで机で格闘していた。私は夜遅いから寝ろよ、とはいわなかった。この時の集中力が、その後の人生に相当影響したのではないかと思っている。

事例二　十二歳児、天皇御前で交響を暗唱

川村驥山（きざん）という書家は幼時より四書五経を学び、十二歳のとき明治天皇の御前で孝経を暗唱したという。暗唱文化が盛んだった当時、一般人でも百人一首を全部暗唱できる人はいくらでもいた。十歳までの記憶能力は実にすごいものがある。

事例三　史記に載っている話

漢の武帝のころ、裁判官の幼い息子だった張湯（ちょうとう）は、肉を盗んだネズミを捕らえると、ネズミを取り調べ、罪を決める文書をつくり、磔（はりつけ）にした。父を真似て作ったその文書はベテランが作成したように完璧で父親を驚かせ、張湯は後に酷吏の裁判官として歴史に名を残した。

事例四　子供でも法師

「西遊記」は唐代、三蔵法師玄奘（げんじょう）が苦難の旅を経てインドから経典を持ち帰った故事に基づいている。唐の太宗が玄奘の功績をたたえて撰述したのが史実西遊記で、その中にこんな記述がある。「玄奘法師なる者あり。法門の領袖なり。幼にして貞敏を懐き、早く三空の心を悟り……」。つまり、「玄奘という者がいる。仏教界を代表する優れた人物だ。幼い時から心正しく知にすぐれ……」ということである。三蔵法師はすでに五、六歳のころからずば抜けた人物だったのであろう。

——こうした事例を知って、今更ながら年少者の可能性の大きさを考えさせられた。そういえば最近、スポーツや将棋の世界でも、大人を驚嘆させる若い才能が出現しつづけている。私が関わる囲碁界を見ても、少年少女のプロ誕生は現代版のニュースだ。令和四年（二〇二二年）には、九歳四か月の少年（藤田怜央君）が、先の十歳〇か月の少女（仲邑菫さん）の記録を抜いて、日本最年少プロが誕生した。世界の強豪中国、台湾、韓国を含めても世界最年少記録である。その棋力・実力は日本アマチュアや日本学生選手権の優勝者に匹敵する。「将来の夢は？」との少年への問いには、小さな声で「世界一になること」と答えた。彼は四歳で囲碁を始め、わずか十か月でアマチュアの初段に。大人でも、いくら早くても二年は掛かるというのに。指導したプロ（瀬戸大樹八段）も「ただ呆れるすごさ」と言う。

こうした信じられないような少年少女がいると、多くの人は、「あの子は生まれつきの〝天才〟だから、普通の子と違って特別なのだ」と考えて納得しようとする。だが、その力は本当に、初めから持って生まれたものなのか。いや、ここに掲げたいくつかの事例を見ても、その才能は生来のものというより、幼少期に出合ったものからの影響、それへの真摯な取り組みによる開花という面が大きいのではないだろうか。

三八さんが満九歳で、「自尊」という子供らしからぬ言葉を思いつき、「自尊党」という少年隊を立ち上げたという話にも、ある種の〝天才性〟が感じられる。だが、それを〝天才〟という言い方で納得してしまうと、話はそこで終わってしまう。ここはしばらく、「幼少期に出合ったものからの影響」について考えるとしよう。

先ずは、人間の成長についてである。

人の知力が、草木が伸びるにも似て、限りなく発達しはじめるのは六歳から十歳の時期だと言われる。したがって、日本はもとより世界の多くの国で、子供が六歳から小学校に通いはじめるのは実に合理的な制度だと思われる。子供の成長は早い。今日の少年少女は、もう昨日の少年少女ではないのだ。子供だから分からない、この年で何が分かる、人はそういう言葉を口にしがちだが、それは大人の思い込みであり、傲慢な考えと言わざるをえない。

むしろ優越感にひたっている大人のほうが、年齢を重ねるにつれて向上心を失い、惰性で生きるようになっていく。進まざる者忽ち退く。人は静止することはない。進歩しているか堕落するか、いずれかであろう。競争社会で、「まだあの人には負けない」などという人もあるが、それを意識した途端、すでに負けているのだ。

夢見る能力において、成人は子供に遠く及ばない。成人が、あるいは親が、自分の優越を前提にして相手を見ると大きく誤ることになる。上から見ても分からない。下から見ている者のほうがよく真実を見ることができるのだ。

長寿社会も良いが、長く生きればいいとは限らない。若者の活躍するチャンスを奪うことになってはいけない。十歳までに十分な充電をした人が順調に成長し、人間関係を広げていけば、三十歳で清新な活躍ができるであろう。先の吉岡泰山氏の師である長洲一二元神奈川県知事の主張は、人間三十歳完成説であった。明治維新の主役はみな三十歳前後の傑物であった。人が育つには、その人の素質もさることながら、どんな状況、どんな環境、どんな教えのもとで幼少期を過ごしたかが最大の要因になる。

検証2　三八少年らが学んだ小学校（幼稚舎）の教育環境は？

「自尊党結成」なる大人顔負けの行動は偶然か、それとも必然だったか。ここは興味のある点である。そこで、三八少年たちが小学校時代を学んだ慶應義塾幼稚舎の学習環境を遡（さかのぼ）ってみる。

・「慶應義塾」幼稚舎の歴史

設立は明治七年（一八七四年）一月。我が国で最も歴史ある市立小学校であり、福澤諭吉先生のすべての子女がそうであったように、三八少年も幼稚舎で学んだ。

慶應義塾豆百科によれば、幼稚舎の設立には二つの背景があった。

一つは福澤諭吉の名声が高まるにつれ、全国からの三田に学びたいという希望者が増え、その中に年少者も多く交っていた。塾ではすでに一般の塾生とは別の童子局という部門を設けてはいたが、これを機に正式な初等教育機関を設置したことである。

今一つの背景は、福澤家の子女が学齢に達したことである。ちなみに明治五年時点で長男一太郎は数え年十歳、次男捨次郎は八歳、長女里は五歳になっていた。先生としては我が子の教育を託する小学校を周囲に探したものの、どうも適当な学校が見当たらない。そこで塾内に小学校を自ら創設しようと考えるに至った。

・幼稚舎の特色

こうして生まれた幼稚舎には、公立小学校には見られないいくつかの特色がある。

第一は、全寮制が建前であり、通学生もいたがそれは自宅が近いなど一部の者であった。

第二は、教科で低学年から英語に力を入れて教えたことで、外人教師を雇って発音、会話の練習をさせた。上級生になると、歴史、地理、代数、幾何、生物、物理などの教科書には英語の原書を使用した。

第三は、あまり厳しい学年制を採らず、入学の時期もある程度自由にし、学力による飛び級も認めていた。

第四は、勉強もさることながら、幼稚舎で最も力を入れたのは、強靭な身体の育成であり、体育が学科の中で最重要科目とされた。福澤先生の教育の神髄、「まず獣心を制して、而（しこう）して後に人心を養う」というのが、幼稚舎教育の理念であった。

・幼稚舎での学習内容

基本的には、それぞれ小学生向きの教科書はあるが、「学問のすゝめ」に添った授業も多くあった。「人はいかに生きるべきか」という生き方を人の道の最高道徳として、教師が福澤先生の教えをかみ砕いて説明した。子供たちは先生のいう「自由」、「独立」とは何ぞや、と自問自答し、それらをテーマに上級生、下級生が平等の立場で議論することが日常茶飯事であったというから、うらやましいような最高の教育環境である。

・驚きの英語教育

授業に英語の原書を使うことは先に述べた。また、外国人教師による英会話の授業があり、小学生のうちに英語で日常会話ができることを目指した。会話ができる上に、自分の意見を堂々と発言、議論できれば鬼に金棒である。現に三八少年は英国留学の折（そのとき十九歳であった）、グラスゴー大学への入学出願に当たって受験の条件を事務局と英語で堂々と折衝し、自分の希望を通している。このエピソードについての詳細は後に回す。明治時代の日本教育界で幼稚舎ほど英語教育に重点を置いた学校は少ないが、英会話能力の育成のみならず、欧米人に劣等感をもたずに対等に行動できる人間の育成を目指した点にこそ、この学校の真骨頂があった。

コーヒーブレイク●小学生の英会話教育で国際人を育成

令和三年（二〇二一年）秋のＮＨＫ朝ドラに「カムカム、エヴリバディ（Come come every body)」があった。これは終戦直後に始まったラジオ英会話教室がモデルである。この通称「カムカム英語」はたちまち人々の心をつかみ、困難な時代を生きる人々の希望の光となった。「しょしょ証城寺」のメロディーに乗って流れる曲は子供たちの間で大人気となり、新しい時代の到来を感じさせた。この講座での生きた英語に触れたことで、多くの人たちが英米に親しみを持つようになった。この番組の講師を務めた平川唯一さんは少年時代にアメリカに渡って苦学しながら大学を首席で卒業。帰国後、「ラジオ英会話」の講師になって、英語を学ぶには「赤ちゃんのような口真似をすること」を信条に、家庭に英会話を紹介した人であった。

できるだけ早いうちから耳に叩き込んで慣れる。このことは、大人になってから勉強するより十倍以上効果があるのは間違いない。現代の英語学習も、平川先生のような立派な先生を見つけるのは大変だろうが、ビデオなどを利用すればきちんとした指導はできる。また、幸いなことに、日本には海外の勤務を体験し、退職後の時間を持て余している立派な人は何万人といる。彼らは民間英語講師として喜んで応援してくれるだろう。彼らにとって、簡単な英語教育を幼稚園、小学校で手助けすることはお安い御用である。すべての小学校で、せめて週一時間の英会話を楽しむシステムを、政府は構築すべきである。その基礎があれば、中・高での文法などの勉強も楽しく、効果が上がる。覚えた英語で会話が通じる喜びは一生忘れない。

「小学校で週一時間の英会話を楽しむ」、これだけで将来、英語が好きな立派な国際人になれる！

・〝半学半教〟の教育環境

半学半教といわれても、現代人には意味が分からない。しかしこの用語は江戸時代から明治初年にかけての教育機関でよく使われた。特に市井（しせい）の私塾においては、ごく有りふれた形態だったようだ。先生がただ一人で教えているような小さな塾だと、どうしても先生の手が回らないことがある。そんな時は初心者向けの授業を優秀な塾生に任せることになる。塾頭などの肩書をもらったその塾生は、自分の学問は続けながら、新米の先生になる。これ「半学半教」の仕組みなり。現代でいえば、大学生が学習塾で先生のアルバイトをするのにやや似ているか。

三八少年が学んだ環境も、半学半教を含め、教育のさまざまな試行錯誤や実験が行なわれた時代であった。

コーヒーブレイク●ボーイ・ティーチャー

蘭学を学んでいた福澤先生は、オランダ語は時代遅れ、これからはイギリスの時代だと気が付いて、二十代後半から英語の猛勉強を始めた。しかし、「習ったＡＢＣの二十六文字を覚えるのに三日かかった」（「福翁自伝」）というから、その歳で、年少者と一緒に新たな横文字を覚えるのは並大抵の苦労ではなかったであろう。開拓者としての先生の苦労に比べると、明治二年に十四歳で義塾に入門した門野幾之進などは、先生が拓いた道の後を楽々と進んでいったようだ。豆百科によると幾之進は抜群の秀才で、十六の歳には早くも「半学半教」の身になって年配者を教え、塾生から「ボーイ・ティーチャー」と呼ばれたという。

検証３　三八少年らにとって当時の社会・政治状況は？

明治維新により近代国家政府が誕生すると、我が国の政治、経済、文化、あらゆる面で大きな変化が起きた。

三八少年が遊び心もあろうが、明治二十三年（一八九〇年）、自尊党副総裁（総裁は当然、父上をイメージに）を名乗り、「自尊党」を結成。その心「自尊」を書いて額に入れ、廊下に飾った。それが父上の諭吉先生の目にとまった。

一般常識的には、子供が「自尊党」なる「党」を名乗ったりして政治の世界に入り込むことはまず考えられない。しかし当時の世相は、国会開設を控え日本最初の政党「自由党」がブームになり、流行語にもなった。板垣退助が率いた自由党は、現在の自民党の源流である。当然このブームは子供たちの目にも耳にも入った。

また、「党」の語については、近代の政党が生まれる以前、幕末に「水戸天狗党」「土佐勤皇党」などと同志の集団を指して使われていた。「勤皇党」は「尊皇党」とも呼ばれていたことから、三八さんたちは「自尊党」と名乗るにあたって、「尊皇党」を意識した可能性もある。

板垣退助の「自由党」に対抗すると党名は何がいいか？　わいわいと議論したのであろう。「自」が付く二文字なら、自主、自立、自民、自生、自成、自尊、自重、自信、自貴、自覚、自律、自然、自活など、多くが候補に挙がったであろう。

子供たちが「これ、どう？」、「これは？」と意見を競っているうちに、誰からともなく

「自尊は？」の声が出て、「それ、いいじゃない！」と生まれたかも。このような環境で育った三八少年や友人たちにとって、「自尊党結成」なるものは決して偶然的ではなく、むしろ自然的な産物であったと考えられる。

結果論であるかも知れないが、「自尊党」は「尊皇党」の語への対抗心の表れでもある。すなわち、「天皇を尊ぶ党」から、「自らを尊ぶ党」或いは「自らが尊い党」への変換であり、「尊」の一字はそのまま受け継ぎつつ、主体を目的語から主語に置き換えている。三八少年自らが「自尊党」を命名したとすれば天晴れ（あっぱ）である。そしてその能力は、「学問のすゝめ」から学んだのであろう。「学んで自分自身の学識と品性を高め、有用の立派な人になれ！」という教えは当時の若者をことごとく奮起させたが、とくに諭吉先生を父に持つ三八少年にあっては、余人とは比べものにならぬ決定的な影響を受けたのも当然であった。

明治は文明開化の時代である一方、長い歴史を持つ漢字文化の時代でもあった。父の教えを「自らを尊び高めよ」と理解した三八少年が、「自尊」という熟語を導き出すのは案外容易だったのではないか。「自尊」は、まさにこうした新しい時代の感性から生まれた名言・成語である。諭吉先生は三八さんの書いた「自尊」の文字を見て感銘を受けたというが、その姿が目に浮かぶようだ。

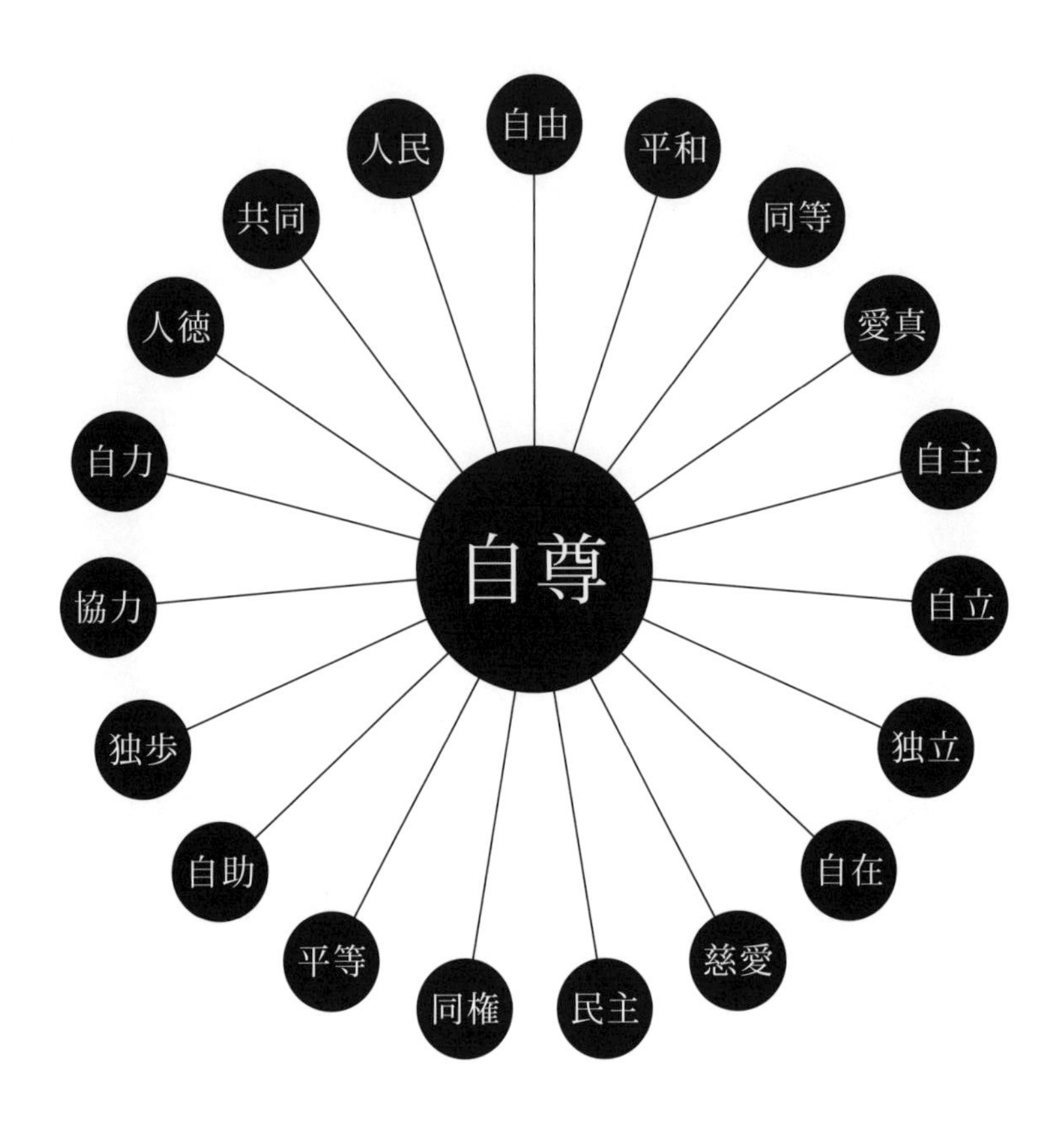
自尊
自由
平和
同等
愛真
自主
自立
独立
自在
慈愛
民主
同権
平等
自助
独歩
協力
自力
人徳
共同
人民

ちなみに、「自尊」の意味を辞書で検索してみるとこうある。

①自分の人格を尊び、品位を保つこと。
②尊大にかまえること。たかぶること。自分を優秀なものと思い込むこと。
（「広辞林」）

①自分で自分の価値に誇りを持ち大事にする。
②自分で自分を偉いものと考え誇る。
（「学研漢和辞典」）

どちらの辞書も、この語のもつ明暗両面のイメージを取り上げている。福澤先生が説かれた「自尊」は無論①の意味であるが、それが正しい意味に理解されず、僻（ひが）んだり曲解されたときに②の意味が生まれてくる。他人の目に映る姿の場合もあるし、本人の主観の場合もあるであろう。

三八少年に「自尊党」を結成させるほど強い影響を与えた「明治維新」とは何だったろう。一言でいえば、それは、二百年を超える幕府の鎖国体制を一気に瓦解させた、世界的な時代のうねりである。福澤先生や三八さんが経験した「明治維新」を、ここで振り返っておきたい。

通商を求めるロシア、イギリスの外国船が日本各地に頻々（ひんぴん）と姿を現したのが、この歴史ドラマの序盤だった。そして突然、江戸に近い浦賀沖にペリーの率いる米国艦隊の黒船が出現し、威嚇的に開国を迫るにいたって、日本中が未曽有の出来事に動転する。「無礼な外国船を打ち払って鎖国を続けるべきか」、「開国して世界の国々と交流すべきか」。二者択一をめぐって意見が対立し、国内は騒乱状態に陥った。

当時すでに、南米、アジア、アフリカの多くの国々は、通商を口実として近づく列強諸国によって巧妙に植民地化されつつあり、日本も一つ間違えば同様の運命をたどることは火を見るより明らかだった。そのことを知る幕府は、できるかぎり交渉を長引かせて時間稼ぎをし、結論を先送りしようとした。しかし軍艦の砲口を向けられての交渉には抵抗も限りがある。幕府はアメリカとの不平等な通商条約を結ばざるを得ず、このことによって急激に国内の統治能力を失うのである。

この頃から薩摩、長州を中心とする諸藩の倒幕計画が本格化している。大政奉還の後に、国を二分（にぶん）する戦争が始まるはずであった。しかし市民を巻き込み、江戸の街を瓦礫（がれき）と化すのはいかがなものかと、天皇親政を掲げる官軍の西郷隆盛と旧幕府代表の勝海舟が江戸城で会見を行なった結果、全面的な内戦は回避され、世界でも稀（まれ）な無血クーデタ＝政権移譲が成立した。

こうして天皇が京都御所を出て、皇居と名を変えた江戸城に入り、明治という新しい時代が始まった。それは同時に、日本人が季節の変化に合わせて衣服の衣替えをするように、近世から近代へ、国内から海外へ目を向けた大幅な衣替えが始まることを意味していた。

男性がちょんまげを結い、侍が刀を二本差して歩いているような国は、近代国家からは相当に遅れた国としか見られないであろう。上役や年長者を敬うのが当然であるため、何事も遠慮して思うことを言えない国民は、思考能力のない国民と見られるであろう。――黒船来航のあと、旧幕府、明治新政府の首脳たちは入念な海外諸国への調査をつづけ、これからの日本や日本人が先進国に学び、変えていくべき点を十分に調べ上げていた。

古代から日本は多くの点で中国の影響を受け、中国に学んできた。文字も仏教も、服装も儀礼もそうであった。しかしその隣国は今では列強諸国に蚕食(さんしょく)され、イギリスとの阿片戦争にも敗北し、国家としての存亡も危ういありさまである。これからの日本はもう老大国中国を手本とせず、進んだ文明や文化をもち活力にあふれた欧米を見習って新しい国家の建設を急がなければならなかった。それこそが「維新(すべてが改まり新しくなること)」というものであった。

日本人が視察した欧米の議会は民主的に運営され、国民に選ばれた議員たちが臆することなく堂々と自分の意見を述べていた。「いずれは日本でもそうなるであろう」と明治新政府の首脳たちは考えた。「そうなるまでには長い時間がかかるだろうが」

欧米では市民は皆、平等である。それに倣うためには武士という特権階級は廃止する必要があった。近代的な軍隊も作らねばならないが、それにはまず、全国の国民が同じ言葉を話して意思疎通を図ることのできる標準語を設ける必要があった。九州人と東北人が会話しても全く通じない現状を変えなければならないのだ。工場も作り、病院も建てるなど、やらなければならないことは無限にあった。それはどれ一つをとっても当時の日本の国力では困難きわまるものばかりだったのだが。

さらに、江戸時代に徹底的に植え付けられた国民性、つまり何事も自分で考えず、周囲に合わせる生き方を、外国式に個人の自覚の涵養へと導かねばならなかった。

日本にとって幸いだったのは、新時代の人間の持つべき意識と生き方の普及に当たって、福澤諭吉という優れた指導者がいたことである。福澤先生こそは、江戸と明治を通して国内・海外の事情を縦横無尽に観察し、その大きな眼で物事の本質を見抜いた人であった。

そうした先人たちのお陰で、今や我が国は、特に、世界経済を牽引する一方で、国際経済の舞台においても大きな役割を期待される立場にまで成長してきた。

検証4　完成した「修身要領」に「発行元　福澤三八」とあるのはなぜ？

明治三十四年七月、「修身要領」は単行本として発行された。しかし、その五か月前の二月に福澤先生は亡くなられ、慶應義塾の関係者は悲しみのどん底にあった。先生は修身要領全文二十九か条を「時事新報」に公表はされたが、自らこの著書を手にとることはなかった。どんな装丁や表紙になるのかも御存知ないままだったろう。そしてこの本には、先生が知らなかったところがもう一個所ある。それは巻末の奥付で、そこにはこう記されていた。

発行日　　明治三十四年七月二十五日
編集者　　慶應義塾
発行元　　福澤三八

発行元、福澤三八？　これはどういうことだろうか？　先生がご存命なら「修身要領」発行元は当然、「福澤諭吉」となるはずだった。しかしそれが叶えられなくなったのである。そうであればここには、先生の片腕であり、元塾長でもある編集委員会のリーダー、「小幡篤次郎」の名前が載るのが、事の順番として自然ではないか。

福澤家家系図

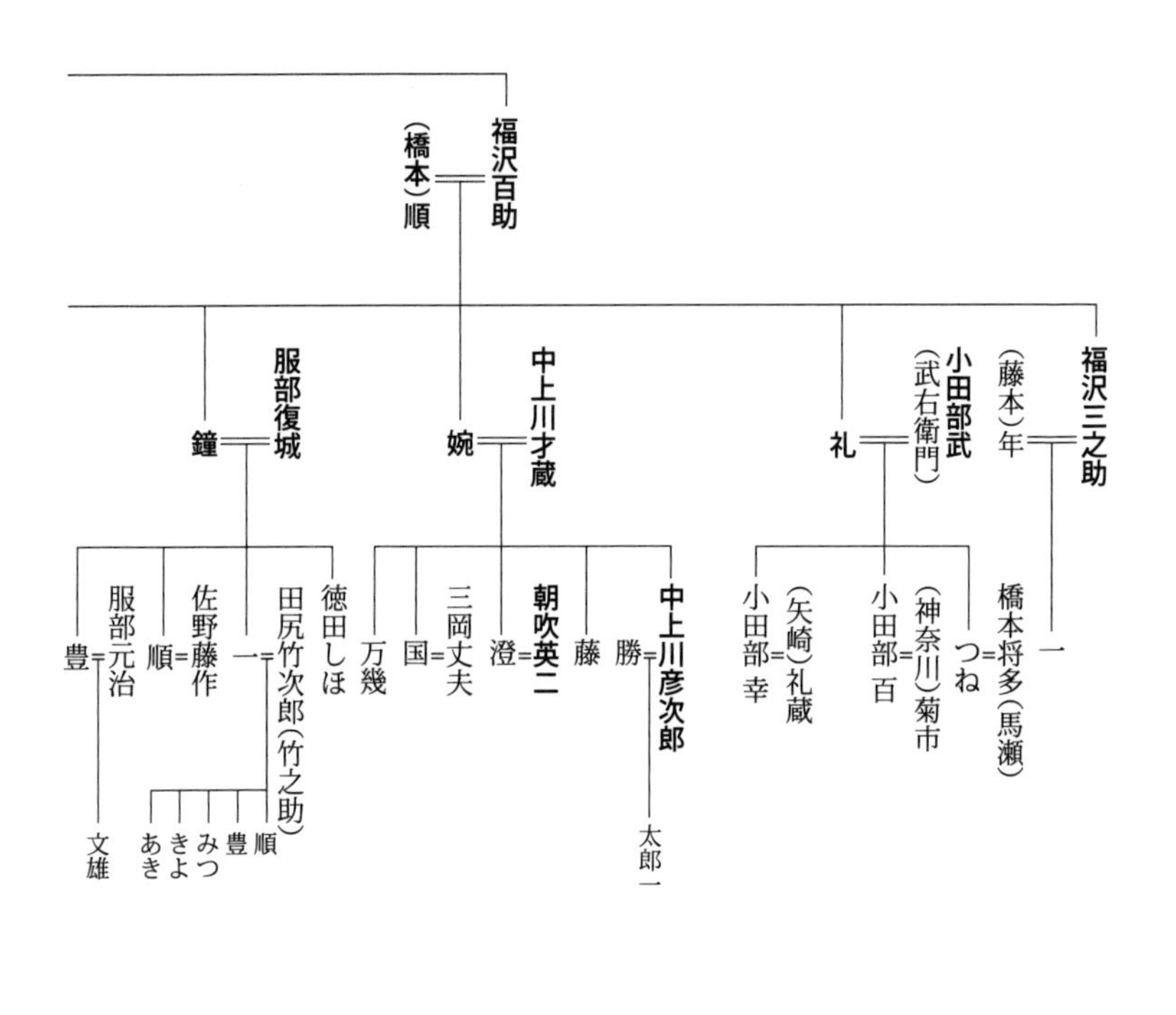

福沢百助
(橋本)順
福沢三之助
(藤本)年
小田部武
(武右衛門)
礼
中上川才蔵
婉
服部復城
鐘
一
橋本将多(馬瀬)
つね
(神奈川)菊市
小田部百
(矢崎)礼蔵
小田部幸
中上川彦次郎
勝
太郎一
藤
朝吹英二
澄
三岡丈夫
国
万幾
徳田しほ
田尻竹次郎(竹之助)
一
順
豊
みつ
きよ
あき
佐野藤作
順
服部元治
豊
文雄

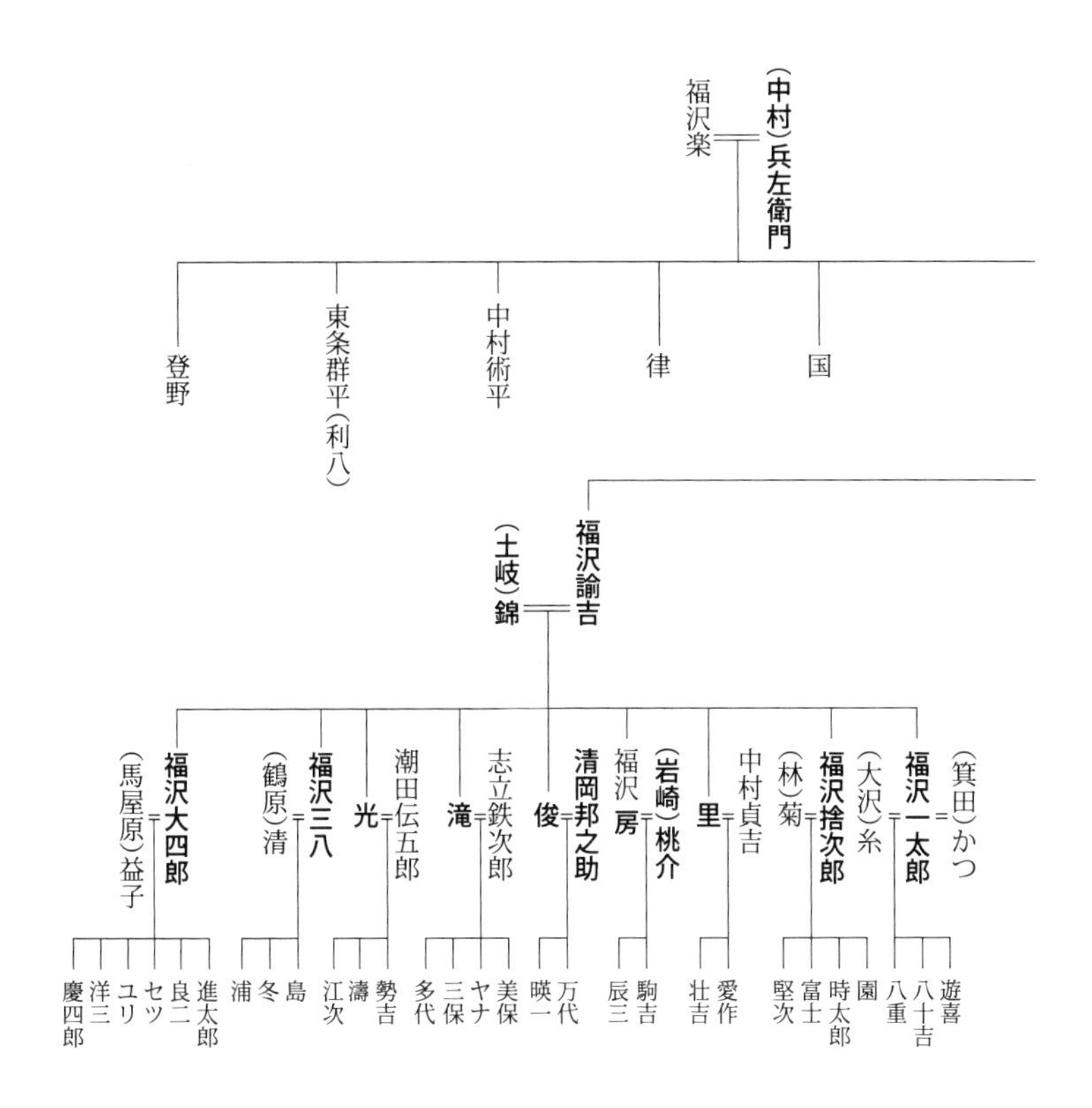

(中村)兵左衛門
福沢楽
国
律
中村術平
東条群平(利八)
登野
福沢諭吉
(土岐)錦
(箕田)かつ
福沢一太郎
遊喜
八十吉
八重
(大沢)糸
福沢捨次郎
(林)菊
園
時太郎
富士
堅次
中村貞吉
里
愛作
壮吉
(岩崎)桃介
福沢房
駒吉
辰三
清岡邦之助
俊
万代
暎一
志立鉄次郎
滝
美保
ヤナ
三保
多代
潮田伝五郎
光
勢吉
濤
江次
福沢三八
(鶴原)清
島
冬
浦
福沢大四郎
(馬屋原)益子
進太郎
良二
セツ
ユリ
洋三
慶四郎

出所：『福澤諭吉辞典』

なぜ、発行元が小幡篤次郎ではないのか？

三八さんが先生の息子だからだろうか。しかし、息子だからというのなら、三男の三八の上には長男の福澤一太郎、次男の福澤捨次郎がおり、しかもこの二人の兄たちは「修身要領」編集委員会のメンバーでもある。当の三八は委員会メンバーでないだけでなく、まったくこの出版事業に関わっていないのだ。のみならず、十九歳であったこの時期はイギリスに留学中で日本にはいなかった。今と違って海外と簡単に連絡がとれる時代ではなかったから、自分が発行元になったとは夢にも知らなかったであろう。

単行本「修身要領」は、イギリス留学中の三八とは無縁に発行日を迎えたわけである。それに先立つ或る日、小幡篤次郎は最終的な編集委員会を招集した。集まったのは次のメンバーである。

小幡篤次郎　　第三代慶應義塾塾長
鎌田栄吉　　第四代慶應義塾塾長
福澤一太郎　　第五代慶應義塾塾長
福澤捨次郎　　時事新報社長
石河幹明　　時事新報主筆
土屋元作　　大阪時事新報主筆

みんな編集委員会の委員の立場で顔を連ねているが、実質は慶應義塾最高意志決定機関といってよい。

その席で、小幡篤次郎は次のような提案をしたのだろう。

「先生亡き後の発行元を誰にするか、決めなくてはならない。それを三八君にしたいのだが、どうでしょう」

それを聞いた一同の顔に温かい微笑がひろがった。かつて三八を総大将として子供たちが「自尊党」を結成して遊んでいたこと。福澤先生が息子三八の揮毫(きごう)した「自尊」に惚れこみ、「独立自尊」という四字熟語に改造して、いままさに出版する本の文中に繰り返し使用していること。その事情や経緯はここにいる誰もがよく知っている。兄の一太郎、捨次郎ももちろん百も承知である。ならば、発行元は三八君しかいないじゃないか、と、小幡が言おうとしているのをみんなが理解した。

「そうすれば、きっと先生も喜ばれるでしょう」と声が上がり、委員一同の賛同でそのことが決まったのだ。

「発行元　福澤三八」は、編集委員会を挙げての、「三八少年への感謝の念の表明」であり、同時に、「諭吉父子のほほえましい連携による四字熟語「独立自尊」誕生への祝意」を意味するものであった。

しかし、ここでちょっとした疑念が湧く。発行元に推挙された三八さん自身は、「修身要領」発行に当たって、自分がそんな重要な役割を果たしたことを自覚していたのだろうか、ということである。案外、その自覚はなかったのではないか。事の起こりは少年時代の無心な遊びであり、成り行きであった。「発行元」という栄誉は、思いがけず転がり込んできた話ではなかったか。「え、私がですか」と驚く二十歳そこそこの青年、三八さんの表情が目に見えるようである。

その三　検証の結論「秘話は幻でなく事実」

ここまで、「自尊」という言葉をめぐって四つの課題を検証してきたところであるが、その結果は次のようになった。

検証1の結論＝六〜十歳の子供たちの能力は、環境次第で大人の予想以上に高く伸びる。

検証2の結論＝三八少年たちは素晴らしい環境の幼稚舎で、楽しみながら学び、自らを高めた。

検証3の結論＝明治初頭の「自由党」ブームの政治状況が、三八少年らをしてごく自然に「自尊党」なる党名を名乗らせ、結成せしめた。
検証4の結論＝「修身要領」の発行元が「福澤三八」となったのは、この著作のキーワードである「独立自尊」が福澤諭吉父子のほほえましい連携プレイで誕生したことへの、編集委員会からの祝意表明であった。

以上の検証結果から、明治という激動の時代、――そして少年たちにとってはこの上なく刺激的な時代、――を吸収しながら育った三八さんの小さな行動が、父である巨人諭吉先生の魂と共鳴して、見事な連携プレイとなり、福澤諭吉畢生（ひっせい）の言葉「独立自尊」が誕生した、と結論づけたい。

先の内山教授の言葉を借りるなら、「独立自尊という言葉は永久に不朽不滅であろう。福澤先生が太陽であるならば三八先生は月のような存在である」となる。かつて内山教授が我々学生に語ってくださった「ことば「独立自尊」には三八少年が携わっている」の秘話は、どうやら真実であったようだ。私をこの謎解きに駆り立てるきっかけを与えられた内山正熊教授、またロンドンでさまざまのヒントを与えられた清岡暎一教授に心から感謝申し上げるとともに、早速今回の結論を天国の両先達（せんだつ）にご報告したいと思う。

私は学生時代、内山教授のゼミに学び、教授を通じて福澤諭吉先生の門下生の端に連なってきた。義塾で学ぶとは、福澤先生の大いなる掌（てのひら）に包まれている感覚を味わうことであった。そんな私が、ある時内山教授のいわれた、「『独立自尊』には表立って世間に知られていない秘話がある」の言葉に反応し、ここまで諭吉・三八父子にまつわる謎を追いかけることができたのは望外の幸せである。これも内山教授のおかげです。
つづく第四章では、そうした感謝と敬意を込めて、教授が語る三八さんへの思い、国際政治学者としての教授の信念などを紹介していきたい。

コーヒーブレイク●何事も二番手の影は薄いもの

日本で一番高い山「富士山」を知らない人はいない。では、「二番手に高い山は?」
さて、どれだけの人が知っているか。どの世界においても、二番手は一番手のかげに隠れ、記憶から遠のくもの。これ、世の常なり!

一、富士山　独立峰　三七七六メートル
二、北岳　赤石山脈(南アルプス)　三一九三メートル
三、奥穂高岳　飛騨山脈(北アルプス)　三一九〇メートル
三、間ノ岳　赤石山脈　三一九〇メートル
五、槍ヶ岳　飛騨山脈　三一八〇メートル

コーヒーブレイク❶生誕百八十年「小幡篤次郎物語」

令和四年（２０２２年）は、福澤先生が最も信頼した弟子、小幡篤次郎の生誕百八十年記念に当たり、その業績を示す「小幡篤次郎著作集」（全五巻）の記念出版が、慶應義塾と福澤諭吉協会によって始まった。第一巻すでに発行され、今後順次刊行するという。五巻までのどこかで「修身要領」、あわよくば「独立自尊誕生秘話」に触れる話が出てくるだろうか？

その編集委員の一人に慶應義塾福澤研究センター教授の西澤直子さんがおられる。そこで西澤教授にズバリお願いしたい。「小幡篤次郎著作集」の中で「修身要領」の項があればよし、なければ、「修身要領の発行元　福澤三八」とした理由を天国の小幡篤次郎元塾長さんに聞いて下さい」と。

コーヒーブレイク❷福澤先生の人柄

私の性格は、自分では何かにつけて控えめのつもりだが、残念ながら、親しい人から見るとまったく逆だという。ただ、ＰＲになって恐縮だが、何かにつけて

「愛」を抱いているつもりだ。

ところで、恐れ多いが福澤諭吉先生は一体どんな人柄のお方だろうか。知りたいと思いつつも、残念なことに私が読んだ書籍の中にはそのことに触れるものが見当たらなかった。そんな時、たまたま二〇二二年八・九月号「三田評論」の記事が目にとまった。「小幡篤次郎を読む」という三人閑談で福澤研究センターの西澤直子教授が笑いながら洩らしておられる。

「……そうですね。福澤先生は面倒くさいことは皆、小幡篤次郎に押し付けているのではないかとも思え、ずるいなと思っています」と。

これを読んで私はわが意を得て、家族周辺と親しい友人たちに言った。「どうだ、福沢諭吉先生より俺のほうがずるくないだろう? 貴君らに面倒くさいことを押し付けたことなど一度もなかった」。そして付け加えた。「もっとも、小幡篤次郎元塾長さんのように頼りになる人は周辺には一人もいなかったからね」

第四章　「独立自尊」のすすめ

その一　三八少年の独立自尊

内山正熊教授の講演（後半）

第二章の冒頭で、平成七年一月、三田キャンパス演説館で行われた内山正熊教授の記念講演「三八先生の思想と行動」の前半部分を紹介したが、ここからは、それに続く長い後半部分を読んでいただきたい。三八先生が生涯のいかなる局面においても常にその独特の言動を貫かれたことについての、内山教授ならではの深い考察と共感によるお話である。

●独立自尊の意味

「今ここで、独立自尊の中の「自尊」という意味を考えてみますと、それはただ単純に自己を尊重することだと分かり切っているようでありますが、その内容になると、何であるかちょっと考えてみる必要があると思います。その手がかりになるのは、修身要領であります。

冒頭の第一条は、「人は人たるの品位をすすめ知徳を研きますますその光輝を発揚するを以て本分と為さざるべからず」と掲げてありますが、その第二条は、「心身の独立を全うし自らその身を尊重して人たる品位を辱めざるもの、これを「独立自尊」の人という」と書いてございます。

この「人たる品位を辱めない」ということに気付かれたのが三八先生であると存じます。ところで、「自尊」とは何かという議論になった時、先生は「自惚れだ」と仰ったそうでございます。先生のお言葉には独特な語調がございますが、その自惚れと言われたことは実に意味があると思います。自惚れというとやはり語弊がありますが、しかしそれを今の言葉でいうとプライドでございます。人間はプライドを持たなくてはいけない、プライドを失ったら駄目である。自ら持するところがなければならない。プライドがあるからこそこんなことはできない、自らの名誉に関わるという

内山正熊教授の記念講演が行われた三田キャンパス演説館

自尊心が生まれる。それがあるから他人に迷惑を掛けないという社会秩序が出てくるのだとお考えになったのであります。……」

●天衣無縫の非凡人

「さて、この三八先生は、元来父上の諭吉先生から学問的素養を最も多く受け継がれた天稟（てんびん）の持ち主でいらっしゃいましたが、それだけに先生は独自独特な風格で常識では考えられないような言動をなさる方でもありました。まったく天衣無縫、直情径行、いい意味の傍若無人のふるまい、奇想天外な発想をなさるということで有名でありました。その面が際立って先生は風変わりな方であるという評判がございました。しかし先生は、そのような一風変わった生き方をなさったので、奇矯な奇人といわれても一向に平気で、普通の人ならば抵抗を感じてしまうのではないかと思うのでありますが、三八先生は、自ら進んで人と変わっていると言われてもいいじゃないか、人間それぞれ一人一人違っているので違うのが当たり前だ、同じようだったらつまらない、違うと言われても気にするどころか、それをよしとして達観された方でございました。

あくまで自分流の生き方をなさって誰をも憚（はばか）らないで行動なさったようでございます。先生の自由奔放なその振る舞いには義兄に当たる福澤桃介氏が、「三ちゃんは強いよ、世の中に何にも怖いものがないんだから」と言われたそうであります。私自身は、経済学部予科二年K組の担任に先生がおなりになってから以来の、晩年の先生しか知りません。その頃は、すでに俗世間を超越した仙人のような先生でいらっしゃいました。」

●夏目漱石のテスト受けグラスゴー大学に合格

「若い頃の先生は、意気軒高としてご自分の意見を堂々と主張なさって、まさに独立自尊の典型でいらしたようでございます。言うまでもなく福澤先生のご令息で、我が国で最も恵まれた家庭の名門子弟として英国にご留学になりました。それは一九〇〇年に英国のグラスゴー大学に留学なされたのですが、その時に一緒に行かれたのがご親戚の林董(ただす)公使でありました。林駐英公使は、日英同盟の立役者で、この公使が実際に同盟をつくりあげた功労者であります。先生はスコットランドのグラスゴー大学にご入学になるとき、どこでもそうですが、これから入る学生に対して選考試験がありました。その試験科目の中に、第二外国語にドイツ語とフランス語があったのでありますが、それをご覧になった先生は、大学当局に対して、日本語を第二外国語として指定してもらいたいと要求なさったそうでございます。先生は英語が第一外国語ならば、第二外国語は、ドイツ語、フランス語だけでなく日本語でもいいはずだと主張なさったのであります。さすがに英国でございまして、委員会を開いて受験生が日本語を第二外国語にしてくれといっているがどうかと検討しました結果、福澤のいうことはもっともであるということで、日本語を第二外国語に認め、そこで日本語の試験を受けてご入学になったわけでございます。これを見ても、先生は日本の国の中だけでなく、外国に行ってもご自分の主張を正々堂々と通される方でありました。なお、その時の日本語の試験官は誰であったかと申しますと、日本の領事ではなくて、ちょうど留学中の夏目漱石でございました。したがいまして夏目漱石から日本語の試験を受けて三八先生はグラスゴー大学にお入りになったのでありますから、それから先生は夏目漱石と面識がおありになったのではないかと思うのでございます。

ここまでは、いわばまともな先生のことをご紹介申し上げましたが、これからは先生特有な言動について触れてみることにいたします。それについて、あの温厚な清岡暎一先生も、私に「あの人は変わった人でねぇ」と仰いましたが、ご家族のお話を伺っても、確かに先生らしいところがたくさんございます。

先ず第一に、字をお書きになるのに、右利きでいらっしゃるのに、それでは趣(おもむき)がないからといってわざわざ左手でお書きになる。ですから、ここに持っておりますご筆跡もたどたどしい字でございます。しかしそれは右手のものでない風格のあるものであります。」

●大学での迷試験監督ぶり

「ところで、学生の一番気になるのは試験でありますが、この試験監督を先生がなさったのが非常に印象に残っております。先生が監督に教室に来られると、数学の試験は安心して受けられるということになっておりました。それは先生が、天井、上を向いて監督なさるからです。そういうことは、もしカンニングをしたいならいくらやってもいいんだということでございます。私が先生に会ってそのことをお話しすると、人間は逃げ道を与えないと駄目なんだ、追い込んではいけないよ、と言ってらっしゃいました。……」

●無邪気でやんちゃの三八先生さん

「こういうところ辺りまでは、まだまだまともに通る話でございますが、福澤先生の最も三八先生らしいのは、銀座の真ん中の交詢社で人を殴り飛ばしたという事件でありま す。このことは、例の「随筆慶應義塾」の中に書いてありますが、紳士の集まりの交詢社で小うるさい塾員に暴行を加えた先生は、被害者が除名を主張してもこれが取り上げられなかったというのも先生のお人柄によるものと思われます。

高橋（誠一郎）先生は、三八先生について「子供のように無邪気で世間知らずだった君は、子供のようによく怒った」と書いておられます。」

●血気盛んは内山教授も

「実は、このようなところだけ似ている私は、先生と同じような暴行をやってしまったのでございます。先ほど、私がここでお話しするのは相応しくないと申しましたが、戦前の早慶戦のことで、外野席で応援していたところ、七回になって「若き血」を歌って、いるのに前に寝ころがっている塾生がいるので、「負けているときこそ応援をしなきゃ駄目じゃないか」とガーンとやってしまったわけです。（笑い）あれから戦争になって彼も戦争に行って戦死したかもしれない、あるいはまだ生きていても謝る機会を逸してしまって、本当に済まないことをしたと思っております。」

●学園紛争、学生側に立った内山教授

「それよりももう一つひどいことを私はやったのでございまして、それは今から三十年近く前のことでございました。それは学園紛争が荒れ狂っておりましたとき、実は私は大学当局に反対する反体制、従って学生の側に立ったわけでございます。そのことについて申し上げますと、ちょうど大学側と学生側が対立している最中で、その双方がその主張を出し合って討論しようという話し合いの場所が日吉グラウンドでございました。そのとき私は教授でありましたけれども、法学部の学生の先頭に立ちまして、大学当局に反対し、「他の大学では月謝値上げ反対なんていう金のことでやっているが、しかし慶應の学生は、アメリカ軍から金をもらって研究しているのがいけないという理由でやっている。軍から金をもらって研究していると、金をもらっている以上、米軍がその研究の結果を何に使おうと文句は言えない。（ちょうどベトナム戦争のころで）細菌戦その他に医学部の研究が使われるかもしれない。戦争反対の学生のほうが筋が通っている」とやったわけです。

ただし、私は三八先生の流れを汲んでいますから、学校当局に反対する以上は、ちゃんと辞表を懐にして学校と対決いたしました。しかし、私のやっていることを分かってくださるのは、当時の法学部長の峯村光郎先生、経済学部長は遊部久蔵先生、文学部長は池田弥三郎先生でございました。その先生方と野口ルームで話し合って、どうしても学生と話し合いをしなければならないということになり、私が学生の居るところに真っ先に行ったのであります。ところが学生は塾監局の中に閉じこもっておりまして、バリケードを築いていて入ることができない。私が行きましたところ、唯一地下室だけドアにバリケードがしてありませんでした。そこで私はそこにまいりまして、「開けろ、開けろ」とこの拳であのガラスを割ったのでございます。塾長お許しくださいさい、あの塾の器材を壊したのは私で、申し訳ございません。（笑い）

これでやっと救われた気がして話させていただきます。しかし、このことは、天網恢恢疎にして洩らさず、ちゃんと見ていた方がございました。それは松本三郎君、今は君などといってはいけないのでありますが、現在防衛大学校長であります松本閣下。（笑い）その松本前常任理事がどこからか見ていらして、去年の八月三日に或る会合でそのことを言われましたので、前常任理事に現場を見られている以上、もう隠してはいられないと思って今お話しした次第でございます。」

●三八先生、科学者にして文人

「さて、これから本論に入るのでございますが、先ほど申し上げましたように、先生の個人的側面だけを取り上げてまいりましたので、今度は学者として、また哲人としての先生について申し述べたいと思います。言うまでもなく、父上の諭吉先生のお子様でございますから、三八先生は父上の卓越した頭脳を受け継がれて、学問的素質が素晴らしい方でありました。その優れた学問的天分を先生は数学の世界で発揮されたのであります。頭のいい者が専攻する数学者として、すでにドイツのライプツィヒ大学に留学中から数々の論文を発表されていらっしゃいましたが、ご帰朝後もドイツ語で研究業績を相次いで出しておられます。私は数学に全く門外漢で分かりませんが、「実定数関数の変わりやすさの分類」とか、「n次元量に関する数学的研究に対する実体の物理的及び科学的諸性質の適用」などのドイツ語論文を出しておられます。私などは横文字を縦文字に直すことで何十年もやってきたのに、先生ははじめからドイツ語で研究業績を続々と出されているのには、全く驚くばかりでございます。先生は数学が本当にお好きでいらっしゃいまして、かの「フェルマーの定理」に取り組んでいらして、その晩年は、フェルマーのことを「今、囲碁を打つように楽しんでいる」と言っていらしたそうでございます。」

コーヒーブレイク❶本能寺の変と囲碁

京都寂光寺開祖日淵（にちえん）上人の法弟、日海（後の本因坊一世算砂名人）が、碁師の鹿塩利賢とともに、右大臣織田信長に別れを告げ、京都四条の本能寺を出たのが、天正十年六月一日未明であった。しばらく歩むうちに突然、天にとどろく軍勢の声が聞こえた。本能寺の方向であった。二人が引きかえして眺めると、たいまつの火が天を焦がし、大路小路には剣のひらめき。やがて暗黒の天を赤く染めて本能寺は燃え落ちた。明智光秀の反乱であった。

この夜の打碁には、プロといえども一生涯に滅多に体験しない「三コウ」ができ、無勝負になった。以来、碁界で三コウは凶事の前兆とされている。このとき明智光秀五十七歳、織田信長四十七歳であった。

（「囲碁クラブ」一九九三年七月号参照）

コーヒーブレイク❷日本棋院有段者の免状

日本棋院の免状は級と段があり、上達すればするほど実力に見合った免状が与えられる。免状内容は段位によりそれぞれ異なるが、共通に求められるのは棋力に相応する精神、心の在り方である。その領域に達したと判断されると、初段から七段までは「執心修行」、八段、九段には「蘊奥」の免状が与えられる。

日本棋院発行格段免状

初段

貴殿棋道執心修行

無懈怠手段漸進

依之初段令免許畢

猶以勉励上達之

心(こころ)掛(がけ)可(べき)レ為(たる)二肝要(かんよう)一者(もの)也(なり)
仍(よって)而免状(めんじょう)如(ごと)レシ件(くだん)ノ

二段

貴殿(きでん)棋道(きどう)執心(しゅうしん)修行(しゅぎょう)
無(な)二ク懈怠(けたい)一手段(しゅだん)愈(いよいよ)進(すすむ)
依(よって)レ之(これ)ニ二段(にだん)ヲ令(せしめ)二免許(めんきょ)一畢(おわんぬ)
猶(なお)以(もって)勉励(べんれい)上達(じょうたつ)之(の)
心(こころ)掛(がけ)可(べき)レ為(たる)二肝要(かんよう)一者(もの)也(なり)
仍(よって)而免状(めんじょう)如(ごと)レシ件(くだん)ノ

三段

貴殿(きでん)棋道(きどう)執心(しゅうしん)修行(しゅぎょう)
無(な)二ク懈怠(けたい)一手段(しゅだん)漸(ようやく)熟(じゅくす)
依(よって)レ之(これ)ニ三段(さんだん)ヲ令(せしめ)二免許(めんきょ)一畢(おわんぬ)
猶(なお)以(もって)勉励(べんれい)上達(じょうたつ)之(の)

心(こころ)掛(がけ)可(べき)レ為(たる)二肝(かん)要(よう)一者(もの)也(なり)
仍(よって)而免(めん)状(じょう)如(ごと)レシ件(くだん)ノ

四段

貴(き)殿(でん)棋(き)道(どう)執(しゅう)心(しん)修(しゅ)行(ぎょう)
無(な)二ク懈(け)怠(たい)一手(しゅ)段(だん)愈(いよいよ)熟(じゅくす)
依(よって)レ之(これ)ニ四(よ)段(だん)ヲ令(せしめ)二免(めん)許(きょ)一畢(おわんぬ)
猶(なお)以(もって)勉(べん)励(れい)上(じょう)達(たつ)之(の)
心(こころ)掛(がけ)可(べき)レ為(たる)二肝(かん)要(よう)一者(もの)也(なり)
仍(よって)而免(めん)状(じょう)如(ごと)レシ件(くだん)ノ

五段

貴(き)殿(でん)棋(き)道(どう)執(しゅう)心(しん)
所(しょ)作(さ)宜(よろ)敷(しく)手(しゅ)段(だん)益(ますます)巧(こう)
依(よって)レ之(これ)ニ五(ご)段(だん)ヲ令(せしめ)二免(めん)許(きょ)一畢(おわんぬ)
仍(よって)而免(めん)状(じょう)如(ごと)レシ件(くだん)ノ

六段

貴殿棋道執心
所作宜敷手段益精
依レ之ニ六段ヲ令二免許一畢
仍而免状如レシ件ノ

七段

貴殿棋道執心
所作宜敷手段
益妙達二上手之域一ニ
依レ之ニ七段ヲ令二免許一畢
仍而免状如レシ件ノ

八段

貴殿夙究二棋道之蘊奥一

手段超凡将入二聖域一ニ
依レ之ニ八段ヲ令二免許一畢
仍而免状如レシ件ノ

九段

貴殿夙究二棋道之蘊奥一
手段超凡技霊妙将達二神域一ニ
依レ之ニ九段ヲ令二免許一畢
仍而免状如レシ件ノ

●三八さん、アインシュタインに質問

「先生の学問的側面について申しますならば、どうしても触れなければならないことがございます。それは、数学、物理などの科学の世界に、先生がつとに卓抜な見識を持たれた優れた科学者でいらしたことでございます。一九一二年、ちょうどノーベル賞をもらったばかりのアインシュタインが来日した折のことでありますが、先生はアインシュタインの言うことが本当によく分かり、もっとゆっくり話をしたかったと言っておられたそうであります。相対性理論に感動された先生は「時間も曲がっているのか」という質問をなさったところ、アインシュタインは、「分からないが、多分、まっすぐ」、フィライヒト・ゲラーデ、フィライヒト・ゲラーデと、このドイツ語の部分を二度繰り返されたということを、先生は想い出すようにご家族に、いかにも懐かしそうにつぶやかれたということでございます。

また、戦後になり湯川博士がノーベル賞を受けたということを聞かれた先生は、おそらくその中間子理論について前から関心をお持ちになっていらしたからか、「自分は今、〝これわれ〟ということを考えているんだ。〝Theory of ruin〟というもの」と言われたそうで、先生は原子核や中間子などの研究を構想していらしたのではないかと思うのであります。もし塾に理工学部が明治時代につくられたならば、三八先生はその中心におなりになり、慶應義塾に数学の福沢ありと言われたことでありましょう。父上の諭吉先生とは正反対のタイプで学究一本鎗の先生であられました。……」

●三八さんの最後

「三八さんは次のような辞世を書いていらっしゃいます。

辞世　江夢

詞壇学海有縁躬　七十余年色即空
大夢自醒観法界　謝恩一念寂光中

この辞世は、文字通り仏教色濃厚でありますが、事実、先生は京都、高野山を本当に好まれ、枯淡な高僧の風格を備えた明治人でいらしたので、先生は耶蘇(やそ)嫌いの方とばかり思っていました。しかし、二十歳代に六年もヨーロッパにご留学になり、英文学、とくに英詩ミルトンがお好きでありまして、キリスト教の知識も豊かにお持ちで英語のバイブルをお子様にあげるような方でありました。仏門に帰依していらっしゃると思っておりましたが、その極を極めていらっしゃるはずの先生が来世については、仏教の極楽は気味の悪いところだと言われたそうでございます。

先生は、絶えず生死の問題を深く考えていらして、赤ん坊が生まれてお目出度いといってもいつか死ぬ時が来る、とすぐ考えてしまうと言っていらっしゃいました。

「来世があるか」ということは前々から先生の宿題で、それをアインシュタインの相対性理論から西方浄土はあり得ると科学的に言えるのではないかとされながら、仏教でもキリスト教でも数学でも救いが得られなかったに見えた先生は、慶應義塾大学病院の最後の病床でカトリックの洗礼をお受けになり、ペトロの霊名をもってこの世を去って行かれました。先生は数学者で科学的に救いの問題を考えていらして、それでは駄目だったと思っていらしたらしいのに、本当に思いやりのあるお方でございましたから、その洗礼をお受けになったのは残る者への思い遣りではなかったかとご家族は言ってらっしゃいます。しかし私は、この世であくまで真っ直ぐに生き、徹底的に善意でいらした先生は、天国への直行切符で天国へ行かれたと確信しております。」

●三八先生は漱石「坊ちゃん」のモデル？

「時間が参りましたが、最後に申し上げたいことがございます。それは皆さまご存じの夏目漱石の「坊ちゃん」の主人公は、三八先生にそっくりだということでございます。

留学中に先生は父上を失われたことを、ちょうど留学中の漱石は知らなかったはずはなく、その若い日の三八先生を頭において、あの世間知らずの直情径行、正義感にあふれる数学教師をつくりあげたのではないかと思うのであります。あの小説の中で、失意の彼を温かく迎えてくれる老いた下女「清」がいたことは慰めでありますが、奇しくも先生の奥様のお名前が「清（すが）」という同じ字でございます。先生の奥様は品のいい優しい方でございました。今は二人が天国で安らかに憩われていることと存じます。長い間ありがとうございました。」

内山正熊教授の講演（後半）終わり

『三田評論』平成七年四月号「福沢三八先生の思想と行動」より

コーヒーブレイク●漱石と三八先生

一九六一年、内山教授からの連絡で、清岡暎一教授（文学部長）がロンドンに来られるというのでご案内をすることになった。前にも述べたが、教授は福澤先生の娘「俊」が母であるから、諭吉先生のお孫さんで、三八さんから見ると甥にあたる。そのとき清岡教授が夏目漱石の住んでいたロンドン市内の家に案内してほしいといわれたのは、漱石と三八さんとのあいだに深いつながりがあるためであった。なお、清岡教授をご案内し

イギリスにある夏目漱石の「ブルー・プラーク」（記念盤）　共同通信提供

た漱石が住んだアパート（漱石自身は「下宿」と呼んでいた）の壁には、世界的な有名人の旧居旧跡に設置される表示板がはめ込まれていた。「日本の小説家夏目漱石、ここに住む」と。

漱石は三八さんのグラスゴー大学入学にあたり語学の試験官を務め、それ以降の付き合いの中で三八さんの天衣無縫な性格に興味をもち、後に小説「坊ちゃん」を書くにあたって主人公のモデルにしたと思われる。

当時、漱石や三八さんのようなロンドン在住の日本人はせいぜい百人程度で、大使館がサロンとして利用されていたから、二人の間に親しい交流があったのは当然である。小説の主人公、「坊ちゃん」は物理学校出身の数学の先生と設定されており、モデルとされる三八さんはグラスゴー大学で物理を学び数学の先生になった。二人は分身といってもいいほど、ぴったり一致する。あの世間知らずの直情径行、正義感あふれる教師像は、まさしく三八さんそのものである。また、物語の中には失意の先生を温かく迎えてくれる下女「清（きよ）」がいるが、三八さんの奥さんのお名前も同じ字の「清（すが）」である。これは偶然の一致か、はたまた作家漱石の調査がそこまで徹底していたのか？

その二　内山正熊教授の不羈独立

日本外交への国際感覚

内山教授の専門は国際政治であった。慶應義塾在職中の一九五〇年代にロンドン大学LSE（London School of Economics and Political Science）に籍を置き、世界中から集まる学者、教授らと交わり、理論と実務の両面から政治学の知識を広められた。当時の英国は大英帝国の名残りもあり、政治・経済・文化などあらゆる面で世界の中心であった。米国やフランス、ドイツのヨーロッパ諸国はいうまでもなく、英国の植民地であった国々から優秀な人材が集まっていた。オーストラリア、ニュージーランド、インド、パキスタン、香港、さらに南アフリカを始めとするアフリカ諸国から。まさに世界中の人種の坩堝であった。そして、LSEを卒業した留学生たちは、帰国した母国で活躍し、大統領、首相に昇ったものが五十年代にあってすでに二十人以上に及んでいた。

ただ、冷戦時代の当時、ソビエト連邦、中華人民共和国からの留学は皆無であったから、内山教授は共産圏以外の世界の人材と胸襟を開いて話し合い、世界における将来日本の立ち位置を考えつづけておられた。

「日本は第二次世界大戦の経験から多くのことを学んだ」とする教授は、過去の歴史と地政学的見地から見て、「日本は中国との連携を目指し、アジアの発展に力点を置くべきである」という結論にたどり着いた。

信念を貫いた中国外交

内山正熊教授については、その外交テーマを抜きにして語ることはできない。

「日中関係ほど重要なものはない」という教授は、「アジアの一員である日本は、隣国の中国、韓国と友好関係を築いて世界平和に貢献するべきである」との思想を生涯にわたって貫いた。

終戦直後から約十年間にわたって日本の総理大臣だった人物は吉田茂である。吉田外交は敗戦処理と復興の重責を担い、経済援助を含め、米国寄りというより米国一辺倒にならざるを得なかった。その政策を痛烈に批判し続けたのが、吉田総理と同じ大磯に在住した内山教授であった。自分より四十歳も年下の教授に、機会あるごとに米国一辺倒の政策を批判されることに吉田総理は辟易(へきえき)していたようだ。しかし内心ではその主張を評価していたのかもしれない。退任直前と引退後、総理は二度にわたって内山教授に、「貴方と話をしたい」と書簡を送っている。しかし教授のほうは「閣下とお会いして、自分の信念が揺らぐといけないから……」と、二回とも吉田総理との面談を婉曲に断わっている。

額入りの現物手紙写真（吉田総理からの写真）

コーヒーブレイク❶吉田総理からの手紙

昭和三十一年八月十五日付の二回目の手紙は、「兎に角、一度会って話をしよう。東京でも大磯でもよい」というものだった。これに対し教授は一度ならず二度までも断わりの返事を出した。後日、面談を断わった理由を、「じつは、じかに「バカヤロー!」と叱られるのではないかと……」と笑いながら話しておられた。

コーヒーブレイク❷バカヤロー解散

吉田茂元総理の三女麻生和子(麻生太郎元総理大臣の母)さんが、自叙伝で「バカヤロー解散」のことを書いている。

「父と私は顔さえ合わせれば、何か言い合いをしていたような気がします。これは娘時代からそうで、例えば私が政治的な事件について生意気をいうと、父のほうもすぐに「何をいってるんだ」と反論してきます。こちらも負けずに「だってこうでしょう」と言い返すので、おしまいには喧嘩のようになります。

……父は気の短いほうでしたから、何か気に入らないとすぐに、「バカヤロー」です。父の側にいる人たちはしょっちゅうこの「バカヤロー」を言われていましたが、実は怒ったときの父の顔が私は好きでした。……秘書官室では、毎日まるで天気予報のように「今日は晴れ」「曇天」「嵐」「そろそろ雷が落ちますよ」という具合に、父の機嫌の観測結果を言い合っていました。……在職中は兎に角こんな調子でした。……それでもやっぱり父は短気でしたから衆議院の予算委員会で社会党の西村栄一さんに食い下がられ、ついつい、「バカヤロー」という言葉を口にしてしまった」

時に昭和二十八年（一九五三年）、これが元で衆議院が解散。「バカヤロー解散」と命名された。

中国留学生に私塾を開設

内山教授は慶應義塾大学退任後の昭和五十八年（一九八三年）、私財、退職金をなげうって三重県大内山に中国留学生のための財団法人「大内山塾」を開設した。費用は全額日本持ち。一年コースで塾生を受け入れた。研修の主力は日本語教育に置いたが、教える側にとってはそれが一番の難関でもあった。教科は一年のうち最初の半年は塾において内山教授とご子息が熱心に指導に当たり、その後名古屋大学日本語センターで日本語、日本文化、歴史を教育した。後半の半年は日本企業での実務体験であった。

大内山は林業が盛んなので役場の斡旋（あっせん）で林業を実習し、また名古屋の工場、銀行で研修をするなど、教授の人脈で多くの協力先を得た。当時は中国人が留学生として来日するのが極めて困難な時代であったが、教授の熱意により日本外務省も協力を決めたのである。以後、十五年間の塾卒業生は七十人に及ぶ。

大内山塾趣意書は次の通り。

一、本塾は、日中友好親善のために、中国人留学生に日本語を習熟せしめる補充教育を行うことを目的とする。

二、其の学習に当たっては、地元林業資源を活用して、主として林業などの技術を習得する実学を行なうことにする。

三、右目的の達成には、単に日本語学習のみでなく、日本の社会生活になじむことが必要であるから、来日直後のカルチュア・ショックを和らげる為に、落ち着いた生活環境で日本人と地域交流する機会を持つ学塾寄宿寮を三重県度会郡大内山村に設ける。

四、日本語学習は、名古屋大学総合言語センターのスタッフ指導下に行なわれるが、これに加えるに松坂大学教授による一般教養講義を通じて行われる。

五、留学者の言語文化風習の相違による精神的、経済的不和、不安定を緩和するために、小規模の寄宿寮で、中国人をして自らの手で自活共同炊事制をとらしめ、自主的な生活条件で教学せしめる。

六、留学生の選抜は、林業専攻者が優先される。
七、在塾期限は原則として一年とし、収容人員は当初十名とする。学費は、中国留学生研修協賛金により賄われる。
八、右全体の責任者は、慶應義塾大学名誉教授、松坂大学教授、法学博士内山正熊とし、其の現地所有の家屋土地施設が提供される。

この私塾開設から十一年後に発行された大内山塾「十年の歩み」には、一期生から九期生までの塾卒業後の進路が記載されている。それによると、卒業者の七、八割が日本の名門大学を経て修士、博士課程へ進み、その後各自の分野において活躍している。その学校名を順不同で記せば、慶應義塾大学、京都大学、日本大学、皇学館大学、中京大学、三重大学、神戸大学、岡山大学、豊橋科学技術大学、大阪教育大学、鳥取大学、岐阜大学、名古屋工業大学、東京大学、愛知教育大学、滋賀大学、北海道大学などである。また残りの二、三割の人は中国へもどって、その多くが教育機関などで働いている。

その他、大内山塾の刊行物には、一〜十四期生までの文集・写真集である「大内山塾を巣立った若者達」と、大内山塾同窓会による「春風化雨――内山正熊先生を偲んで」がある。いずれも教授のお人柄がよく伝わる記事を含む内容である。

その中の一人に七期生の段瑞聡君がいる。彼の研究課題は「蒋介石と新生活運動」であるが、後になんと二〇二一年・内山教授が亡くなる直前に慶應義塾大学商学部教授になり、内山ゼミ生の会にはいつも駆けつけてきてくれている。

大内山塾開塾に当たっては、教授と親しい多くの方々が理事に就任されたほか、塾の顧問として松本重治、岡崎嘉平太、川喜多かしこ氏らが協力を惜しまれなかった。教授の言葉をかりれば、「和中協和の先覚先縦の方々」である。十五年間の総運営費用は一億円近くに及んだが、内山ゼミナールOB、OG一同の約七百名も懸命に協力した。それを知る中国人卒業生たちも日中民間外交の懸け橋となって活動している。内山正熊教授の人生行路に対し多くの人々が感銘を受け、拍手を送っている。

コーヒーブレイク●大内山塾設立の目的——内山教授のある席での挨拶より

「……三重県大内山村は森林資源に恵まれた人情豊かな山村であります。ここで中国人塾生は、村民と親しみ日本の生活を体験しながら日本語の勉強にいそしんでおります。最近世界の森林に対する関心が急速に高まっていますが、とりわけ隣国の中国で森林の荒廃を防ぎ緑化を進めることは切実であります。この大内山塾では、日本語学習に加えて、地元資源を活用して林業関係の実学研修に重きを置き、ここに中国緑化に役立つべき林業留学生、農業、工業などの留学生のための日本語学習塾として本財団が設立された次第です。……」

優しい内山正熊教授からの手紙

どの世界においても、責任者の出処進退は付きものである。私ごとで恐縮だが、かつて私が社長を仰せつかっていた会社が経営不振に陥り多くの希望退職者を募る羽目になった。私はその責任を取って社長を辞任した。それを知った内山教授はわざわざ私に慰めの手紙をくださったりする、とても優しい人柄であられた。

コーヒーブレイク●内山教授の手紙

会社の経営不振などで従業員の希望退職者を募ることは、あってはならないことである。残念ながら私が社長をしていた会社が、経営改革のため多くの従業員の退職を募ることになった。一九九四年十二月から三か月の応募期間に、その数は七百人の予想をはるかに超える千二百名におよんだ。辞任覚悟の決断とはいえ、その頃の自分の体調は最悪で、精神面はもとより、通じは一週間に一回、薬・医者頼りで生きた心地がしない状態であった。

しかし、頭から離れないのが待ったなしの資金繰り、その退職金は約二百四十億円。それに対する会社の支出可能資金は百五十億円余りであった。急遽、私は二つの銀行頭取に直談判をした。一年以内の返済を条件にそれぞれ百億円と五十億円を借入し、無事に退職金を支払った。直後ただちに約十件の所有不動産物件を売却、資金化し、約束通り借入後十か月で銀行に全額返済した。

しばらくしてから、日本経済は本格的なバブル崩壊の時期に突入した。返済のために売却した十件の物件は、数年後には半分以下の価値しかなくなり、しかも売却自体が難しい社会情勢になった。しかし何よりも幸いであったのは、日本経済のバブル崩壊までに時間があったことである。多くの希望退職者が第二の人生を選ぶチャンスがあったのは、会社側にとって大いなる慰めであった。

私の社長退任発表について翌日の新聞を読んだ方々から激励の手紙を頂いた。内山教授からも頂いた。本当に優しい教授の一面であります。その手紙には次の聖書の一部が添えられていた。それらを読んで自分は救われた。

●内山教授から送られた聖書「伝道者の書」

第一章

……

一つの時代は去り、次の時代が来る。
しかし地はいつまでも変わらない。
日は上り、日は沈み、
またもとの上る所に帰っていく。
風は南に吹き、巡って北に吹く。
巡りめぐって風は吹く。
しかしその巡る道に風は帰る。
川はみな海に流れ込むが、
海は満ちることがない。
川は流れ込む所にまた流れる。
すべてのことは物憂い。
人の語ることさえできない。
目は見て飽きることもなく、

耳は聞いて満ち足りることもない。
昔あったものはこれからもあり、
昔起こったことは、これからも起こる。
日の下に新しいものは一つもない。

第二章

……

人間の幸福を知り、また、生きている間、この世で人間がどんなことをするかを知るために、私は、愚かさを味わってみようと思った。私は、大事業に手をつけた。自分の住む大邸宅を造り、ブドウ畑を植え付けた。庭園と果樹園とを造り、そこに、あらゆる種類の果樹を植えた。木の生い茂る森を潤すために、大きな池をつくった。また私は、下男下女を買った。私より先にイエルザレムに住んだどんな人よりも、私は多くの雇い人、家畜群、牛、羊を持った。私は、銀と金とを集め、王と各州の財宝を積んだ。歌い男と歌い女、そして、人間の持つあらゆる贅沢な物と、数多い姫君たちを手に入れた。

私は、偉大な人間になり、私より先にイエルザレムに住んだ人よりも偉大になった。しかも、私は、自分の知恵を保った。私は、自分の目の望みをすべて満足させ、自分の心にどんな快楽も拒絶しなかった。私の心は、自分のするあらゆる苦労によって、喜ばされていた。それが、私の苦労の報いだった。さて、私は、自分がしたあらゆる事業と、それをするために忍んだあらゆる苦労を振り返った。ところが、知恵と知識と才能とをもって働いても、少しも苦労しなかった。この世には、何一つ利益になるものはない。私は、知恵と愚かさと無知とに、思いを巡らした。王の後継者は、何をするのだろう？ すでにされてゐることを、彼もするに過ぎない。昼が夜に勝るように、知恵は愚かさに勝ると私は知った。

知恵者は自分の前を見る、

愚か者は手探りで歩く。

それは事実だ。しかし、その二人とも、同じ運命に遇うのだということも知った。そして、私は、心の中で言った。「私も、愚か者と同じ運命に至るのだ。とすると、私の知恵がなんの役に立つのだろう？」また、自分に言い聞かせた。「それも空しいことだ！」つまり、知恵者も愚か者も、人の記憶に永くは残らない。ある日が来ると、二人とも忘れられてしまう。そして、知恵者も愚か者と同じように死んでしまう。だから、私は、生きることがいやになった。この世で行なわれることが嫌になった。すべては空しいことだ、風を追うに似ている！

第三章

……

天の下では何事にも定まった時期があり、
すべての営みには時がある。
生まれるのに時があり、死ぬのに時がある。
植えるのに時があり、植えたものを引き抜くのに時がある。
殺すのに時があり、癒やすのに時がある。
崩すのに時があり、建てるのに時がある。
泣くのに時があり、微笑むのに時がある。
嘆くのに時があり、踊るのに時がある。
石を投げるのに時があり、石を集めるのに時がある。
抱擁するのに時があり、抱擁をやめるのに時がある。
捜すのに時があり、失うのに時がある。
保つのに時があり、投げ捨てるのに時がある。
引き裂くのに時があり、縫い合わせるのに時がある。

黙っているのに時があり、話をするのに時がある。
愛するのに時があり、憎むのに時がある。
戦うのに時があり、和睦するのに時がある。

その三　信念「中国重視」の裏付け

日中にはいくつも共通の文化がある

・日本、中国は漢字国家である

世界で漢字を公用語としている国は、中国、台湾、韓国（ただしハングルが主）と日本だけである。言うまでもなく、漢字の原点は中国にある。中国での漢字の歴史は、幾多の古形を経て、紀元前三世紀、秦の始皇帝が全国を統一し漢字を統一したことに始まる。その後、漢や唐の時代にも字形が変遷していく。篆書→隷書→草書→行書→楷書と。

漢字は豊富な意味を伝える文字文化の極致であるが、漢字を輸入した日本には、さらにそこから派生した「カタカナ」「ひらがな」なる文字が開発され、その意味で日本の文字文化は中国より多様化していると言えよう。

・日本に根付いた印鑑文化

このごろ印鑑不要論が唱えられているが、長い伝統に従えば書類などにはサイン（署名）ではなく印鑑が使用される。

例えば不動産（土地・建物）の登記や金銭貸借に関する契約書などには政府機関（地域の役所）に登録する登録印、俗に「実印」と称する立派な印鑑を使用する。その印鑑は、篆刻（てんこく）といって「篆書文字」で彫られている。

また、日本各地で盛んに書道展覧会が開催されている。そこに展示される額入りや掛け軸などの作品には、中国同様に落款印（らっかんいん）と称する大きな印鑑が押されている。これも中国からの輸入形式で、書家は小袋いっぱいの何種類もの落款印を持つ。

・日本将棋と中国将棋

中国での将棋人口は、囲碁人口よりも多いと聞く。日本でも二〇一八年は将棋ブームになった。将棋も囲碁同様、日中両国で愛され、どちらも大衆に溶け込んだ文化であることはまことに喜ばしいことである。

・麻雀の歴史

麻雀の起源について、中国には孔子が発明したという説があると聞くが、日本では、十九世紀に中国で生まれ二十世紀に日本や諸国に広まったという説が一般的である。

日本全国麻雀業組合総連合会によれば、中国ルールと日本ルールは多少異なるものの、日本での麻雀人口は囲碁、将棋に並ぶ人気である。かつてはどの街も大学付近にゲーム店（雀荘）が建ち並び、多くの学生で賑わっていた。

現在は他のゲームやスポーツに押され若年層愛好者が減少しているが、高齢世代には頭の体操として逆に人気上昇中である。麻雀に限らず、インナーゲームはすべからく老化防止の最適手段である。

・二千年の歴史「囲碁」

囲碁を愛好する国は百カ国以上に及んでいる。各国で選手権大会があるのはもちろん、アジア大会、ヨーロッパ大会、世界選手権大会なども開催されている。

囲碁の源流は中国。それも三国志の時代に遡るというから奥が深い。それだけに日本でも烏鷺の戦いとして受け継がれてきた歴史は長いが、現在の囲碁人口が五十年前に比して半分以下に減少しているのが残念である。

ちなみに世界三強国の囲碁人口を見ると、
日本＝二百五十万人（人口一億二千万人の二パーセント）
中国＝一千万人（人口十億人の一パーセント）
韓国＝六百万人（人口六千万人の十パーセント）
この三国で争う世界選手権は、かつては歴史的な伝統をもつ中国が当然のごとく連覇を達成していた。その後、日本が巻き返した時代があり、そして現在は韓国が最強を誇っている。

・囲碁の戦術・戦略は経営学ほか全てに通ず

最近「囲碁」が大学の講座に入ってきた。現在の日本では、幼稚園、小学校から大学までの少なくとも百以上の学校で、「囲碁講座」が開設されている。東京大学、慶応義塾大学、早稲田大学、琉球大学などでは、囲碁講座が正式単位として認められている。その理由は、囲碁の勝負を制することが人生の処し方、問題の解決方法として経営学と共通しているからである。囲碁の勝負は、決着するまでには平均百五十〜百八十手を要する。その間、序盤、中盤、終盤、それぞれの局面での戦略・戦術がなくては勝てない。現実世界で物事を達成する思考法に益するところ大というべきである。

日本人の心をつかんだ「四書五経」――四書五経の精神は、中国版・学問のすゝめ

・四書五経とは何か。

四書＝大学、中庸、論語、孟子。五経＝易経、書経、詩経、春秋、礼記。

一口で表現するならば、「四書五経」は中国の「学問のすゝめ」である。

江戸時代の日本人が熱心に学んだ学問は、中国伝来の「四書五経」だった。論語を筆頭とするこれらの書物は、人間学上の原点である「仁」「礼」「徳」「信」「善」「愛」「義」「和」「誠」を説いている。それらは日本人の精神・教育・行動などに深く浸透して、人間関係のモラルを形成した。考えてみるに、中国のこれら書物が書かれたのは千年から二千年前のこと。中国人の偉大さに驚かされる。

ではここで、我が国でも至る所で大いに評価されている「中国名言」のいくつかを紹介してみる。福澤諭吉先生の書き物かと思わせる文章が多いのには驚かされる。

学問のすゝめ

○大学の道は、明徳を明らかにするにあり（大学）

○子曰く、学びて時に之を習う、亦悦ばしからずや（論語）

○賢者はその大なるものを識り、不賢者はその小なるものを識る（論語）

○礼を学ばざれば、以て立つことはなし（論語）

歴史から学べ

○古訓を学べば、乃（すなわ）ち獲（う）るあり（書経）

○温故知新・故（ふる）きを温（たず）ねて新しきを知る（論語）

○窮すれば変ず　変すれば通ず　通ずれば久し（易経）

○進むこと鋭き者は、その退くこと速やかなり（孟子）

人は、仁なり　徳なり

○仁者は憂えず　知者は惑わず　勇者は懼（おそ）れず（論語）

○仁は人の心なり、義は人の路なり（孟子）

○仁人は天下に敵なし（孟子）

○仁なるものは人なり（孟子）

○善をもって宝とする（大学）

○誠は天の道なり、之を誠にするは人の道なり（中庸）

礼儀・作法は人の道

○親しき中にも礼儀あり（礼記）

○礼は夫婦を謹むに始まる（礼記）

○礼儀は人の大端なり（礼記）

○天の時は地の利にしかず、地の利は人の和にしかず（孟子）

人生の幸福と心得

○衣食足りて礼節を知る（史記）

○富貴なれば他人も合し、貧賤なれば親戚も離れる（史記）

○過ちを改めざる、之を過ちという（論語）

○過ぎたるは及ばざるがごとし（論語）

友達は宝

○和を以て貴しとなす（論語）

○徳は孤ならず、必ず隣有り（論語）

○寛なれば即ち衆を得（論語）
○友なる者はその徳を友とするなり（孟子）

経済の基本原則

○入るを量り、以て、出ずるをなす（礼記）
○小利を見れば、即ち大事に成らず（論語）
○行くに小径に由(よ)らず（論語）
○君子は上達し、小人は下達する（論語）
○敏なれば即ち功あり（論語）
○時なるかな、失うべからず（書経）

政治家と国民の義務

○民、信なくば立たず（論語）
○礼を怠れば政(まつりごと)を失う（春秋）
○民の欲する所は、天必ず之に従う（書経）
○国君、仁を好まば、天下に敵なし（孟子）

戦争と平和

○戦いは逆徳なり、争いは事の末なり（史記）

○治まれども乱を忘れず（易経）

○敗軍の将は以て勇をいうべからず（史記）

○敗軍の将は兵を語らず（史記）

以上、数々の名言を紹介した。意識して取り上げたわけではないが、やはり一番多い名言は「論語」の中にある。

論語に次いで日本人に人気の書物は、司馬遷が編纂した中国の歴史書「史記」であるから、若干説明をさせてもらう。歴史記録役の役人だった司馬遷は、史記の執筆中、冤罪を着せられた友人李陵をかばった罪で主人である漢の武帝により宮刑（きゅうけい）に処せられ、宦官（かんがん）となった。こうした屈辱の中で世に真の歴史を残しておきたいとの切願からこの書を完成させた。その文章は名文中の名文といわれ、歴代の学者から「文中の雄なり」「文の聖なり」「老将の兵を用いるがごとし」と絶賛された。悲劇の司馬遷には日本人の〝判官ひいき〟の気持ちに訴えるものがあるようだ。

コーヒーブレイク●司馬遷史記博物館への協力

司馬遷史記博物館は世界最大の歴史書の作者・司馬遷を顕彰する世界唯一の文化施設である。二〇〇五年九月に陝西省文物局が認可、民生局が承認して造営が決まり、その後非営利民間組織によって運営されることになった。博物館創設に当たっては日本側に協力依頼があり、以来約十年間、日本側の協力は中国側の期待を大きく上回るものと評価された。

二〇一六年五月、西安から二百五十キロ離れた司馬遷の生まれ故郷の韓城市に、「司馬遷・史記博物館」が仮オープンした。式典には市長、館長、司馬遷親族らに交じって九人の日本人が参列した。この事業に関して「日本・史記収集寄贈促進会」代表となった吉岡和夫氏は、名古屋在住の財界・文化人約百名の協力のもとに、十年近くをかけて日本中の本屋から、江戸時代以来の史記に関する古書を収集し、寄贈した。博物館の泰忠明館長は挨拶で、「吉岡さんら日本側の協力があってこそオープンすることができた。とくに現在の中国にはない貴重な史記書物が日本より寄贈されたのには感動した。それらを目のあたりにした日の晩には同志が集い、祝杯を挙げた」と。

館内には漢学者であり書家の吉岡氏直筆の「史記にある数々の名言」の掛け軸や額が飾られている。またこの十年間に日本中国を往来したメンバーの写真、開館に至るまでの新聞記事、協力した日本人関係者の写真などの展示もある。

この仮オープンの場所は、韓城市北部の三階建ビルの中であるが、市としては十年以内に本格的な民営博物館を目指すとしている。

今後の日中関係への期待――日中共通の精神と文化は必ず相互理解につながる

田中角栄と周恩来、両首脳の会談で実現した宿願の日中国交正常化は、二〇二二年に五十周年の記念の年を迎えた。正常化後、一九八九年に中国で、一九九二年に日本で日中関係学会が発足した。私はそれ以来、一会員として研究会などの行事に参加、数度の訪中も、また、訪日団の受け入れもした。その都度の雰囲気は最高の盛り上がりであった。ここ二十年以上の日中間の経済協力も大いなる成果を上げ、今日に至っている。

しかし、最近の気がかりは、せっかく中国が世界のリーダー的存在にまで成長してきたのに、ここに来て急に世界に背を向ける動きが出てきたことである。顕著な例は、対香港政策である。世界との約束「一国二制度」を堂々と破るのは如何なものか？　共産党員の間では「香港をなきものにする政策」はとっくに決まっていた、と聞く。約束を破ることなくゆっくりと対応すれば何ら問題は起きないのに。むしろ、中国は香港、台湾の民主主義的動向・内容をじっくり観察しながら、自国の将来像を描くのが最善であったのに。早まったことで、世界から予想以上の拒否反応が出たのは、中国の完全な計算違いであろう。寝ていた台湾問題までを自ら起こし、必要以上に国際問題化したのは失策以外の何物でもない。気を緩めてはいけない、思わぬところから戦争に発展することは歴史が語っている。

「礼を怠れば　政を失う（春秋）」、また、「戦いは逆徳なり、争いは事の末なり（史記）」と三千年前からの先祖の名言がある。一九四九年の建国以来、世界トップの経済国にまで発展した中国は今や、共産主義とか専制主義とか、何と呼ぼうと、進化させた新中国主義の時代が到来している。ともあれ、困窮の状態からの脱却は、国家リーダーの役目である。そして、こういう時こそ話し合い民間外交を進めなければならない。日中共通の精神と文化がある以上、かつてのピンポン外交が融和をもたらしたように、民間外交の積み重ねと努力は必ず相互理解につながる力を生むであろう。二〇二二年は日中国交五十周年記念にあたった。国はもとより、地方で祝賀会が催された。注目すべき一つに十二月四日、中国駐名古屋総領事、楊瀾主催の記念会があった。オンラインによる講演会（中日友好協会副会長・程永華、日本アジア共同体文化協力機構理事長・宮本雄二）に次いで、東海六県の中で最も顕著に活躍した友好団体が表彰された。東海六県の友好団体、東海日中貿易センター、東海日中関係学会、日中文化協会。

中でも、岐阜県と杭州の交流の歴史は圧巻である。一九七二年、田中角栄と周恩来、両首脳の席で田中角栄が「これからは、自分が先頭になって民間外交を始める……」との発言に対し、周恩来が「既に岐阜県と杭州の交流は十年前よりあり、互いに〝不戦の誓い〟を交わしていますよ」と言っている。これには田中角栄が仰天したというエピソードがある。過去に民間人の往来で問題が起きた例はない。互いに成熟した国家国民の度量をもって、「中国人を最も理解できるのは日本人」、そして、「日本人を最も理解できるのは中国人」とならなければならない。

内山正熊教授の信念である日中間係の将来は、今後、長期的には必ずや改善に向かうであろうことを信じて止まない。

おわりに

「独立自尊」という言葉に触れるたびに私は学生時代の「その誕生秘話」を思い出す。秘話は現実か幻か、そのうち誰かが語ってくれるだろうと思っている間に時間が過ぎた。福澤家に詳しい内山正熊教授と福澤家の一人である清岡暎一教授の二人から聞いたからには秘話は少なくとも幻ではないと想像できるが、それを立証できるか不安のまま取りかかった作業であった。

結論は、意外にも簡単に出た。すなわち四字熟語「独立自尊」は、明治維新という環境下での福澤親子の見えない糸で結ばれた連携で生まれた。三八少年の遊び心、無邪気さから「自尊党」を名乗り、「自尊」と書き額に飾った。それが父上の目にとまり十年以上経てから四字熟語「独立自尊」が生まれた。言い換えれば「明治維新がなければ決して生まれなかった親子の美談作品」と言える。

改めて、日本史上での最大の変革をもたらしたのは明治維新だと認識した。もちろん、第二次世界大戦の敗北から復興した昭和時代の奇跡は日本人の誇りであるが、それらが達成できた強靭な精神力は明治維新での日本人改革のたまものである。

一方の「内山教授による中国重視論」は、今まさに世界の注目課題であり、地政学的に日本の最大課題でもある。日中両国ともに小を捨て大につき、また、民間外交を通じ平和主義に徹しなければならない。世界に平和あれ！

参考文献

『学問のすゝめ』　福澤諭吉（岩波文庫）
『福翁自伝』　福澤諭吉（慶應義塾創立百年記念）
『慶応義塾豆百科』（慶應義塾）
『福澤諭吉辞典』（慶應義塾）
『回想十年』　吉田　茂（新潮社）
『父吉田茂』　麻生和子（光文社知恵の森文庫）
『自由とは何か』　佐伯啓思（講談社現代新書）
『自由の問題』　岡本清一（岩波新書）
『三田評論』（慶應義塾）
慶應義塾公式ｗｅｂサイト

安井 信之（やすい のぶゆき）
1938年生
【学歴】
1960年 慶應義塾大学法学部政治学科卒業
1960年～1962年 ロンドン大学（LSE）留学
2015年 南山大学大学院ビジネス研究科（MBA）修了
【職歴】
1962年～2000年
ブラザー工業（株）入社、副社長、ブラザー販売（株）社長、会長
1992年～1994年（社）日本縫製機械工業会会長
2000年～（株）アラタマコーポレーション会長
【団体】
1985年～（社）日本棋院中部総本部理事・運営委員
1989年～（東海）日中関係学会（現）名誉会長
2006年～日本ゴルフ協会、学生ゴルフ連盟（現）中部学生ゴルフ連盟名誉会長
【著書】
2022年『コロナ禍と名言』（桜山社）他

編集協力 荒川 晃
装　丁 三矢 千穂

いつ、どこで生まれた「独立自尊」
福澤諭吉父子の明治維新での連携
2023年4月1日 初版第1刷 発行

著　者 安井 信之
発行人 江草 三四朗
発行所 桜山社
〒467-0803
名古屋市瑞穂区中山町5-9-3
電話 052（853）5678
ファクシミリ 052（852）5105
https://www.sakurayamasha.com

印刷・製本 モリモト印刷株式会社

ISBN978-4-908957-22-2 C0095

桜山社は、
今を自分らしく全力で生きている人の思いを大切にします。
その人の心根や個性があふれんばかりにたっぷりとつまり、
読者の心にぽっとひとすじの灯りがともるような本。
わくわくして笑顔が自然にこぼれるような本。
宝物のように手元に置いて、繰り返し読みたくなる本。
本を愛する人とともに、一冊の本にぎゅっと愛情をこめて、
ひとりひとりに、ていねいに届けていきます。